220 recettes faciles et pas chères pour Étudiants

Les prix des recettes sont calculés à partir des bases de données des cybermarchés, en respectant la saisonnalité des produits. En effet, pour certains ingrédients comme les crustacés ou les légumes, les prix peuvent varier en fonction de la saison ou si vous les achetez frais ou surgelés.

Remerciements
Cybermarché HOURA, qui a fourni la grande majorité des prix des ingrédients.

Ouvrage collectif créé par Losange
Avec la collaboration de Patrick André, Samuel Butler, Guillaume Mourton

Direction éditoriale : Hervé Chaumeton
Suivi éditorial : Sophie Jutier
PAO : Nathalie Lachaud, Francis Rossignol
Photogravure : Stéphanie Henry, Chantal Mialon

ISBN : 978-2-84416-568-8
N° d'éditeur : 84416
Dépôt légal : juillet 2008

Achevé d'imprimer : juin 2008
Imprimé en Chine par SNP Leefung

220 recettes faciles et pas chères pour Étudiants

SOMMAIRE

Pour bien commencer

Les ustensiles indispensables

- Un mini-four
- Une plaque de cuisson
- Deux casseroles (une grande et une petite)
- Une poêle
- Deux plats allant au four (un oval et un rectangulaire)
- Deux moules (un rond et un rectangulaire)
- Deux ou trois bols
- Un saladier
- Une passoire
- Une petite balance
- Une spatule, une cuillère en bois, un fouet
- Un couteau bien aiguisé, un économe, des fourchettes
- Un ouvre-boîte décapsuleur
- Un tire-bouchon
- Un verre-doseur
- Une paire de ciseaux

Éventuellement

- Une cocotte
- Un mixeur avec bol
- Un batteur électrique
- Une planche à découper
- Un presse-agrumes
- Des ramequins
- Une râpe à fromage
- Un pinceau

À toujours avoir sous la main

Dans son placard

- Huiles (de tournesol, d'olive, de noix...)
- Vinaigres (de vin, balsamique...)
- Moutarde
- Sel, poivre
- Herbes de Provence
- Épices (cannelle, cumin, curry, paprika, noix de muscade...)
- Pâtes, riz
- Conserves (thon en miettes, tomates pelées, maïs, champignons de Paris, fruits au sirop...)
- Sauce tomate
- Cubes de bouillon
- Sucre en poudre
- Levure chimique
- Maïzena
- Miel
- Farine
- Chocolat en tablettes, en poudre

Dans son frigo

- Beurre
- Lait
- Crème fraîche
- Œufs
- Fromage râpé
- Lardons
- Cornichons
- Olives noires, olives vertes
- Mayonnaise
- Oignon, ail, échalotes
- Pommes de terre
- Citrons
- Tomates
- Pâtes à tarte (brisée, sablée, feuilletée)

À défaut de balance...

On peut mesurer les ingrédients d'une recette avec une cuillère, un verre ou une tasse :

1 cuill. à soupe rase
- ➡ 1,5 cl de liquide
- ➡ 15 g de sucre en poudre
- ➡ 15 g de farine
- ➡ 15 g de semoule, de fécule
- ➡ 5 g de fromage râpé

1 cuill. à café rase
- ➡ 0,5 cl de liquide
- ➡ 5 g de sel ou de sucre en poudre
- ➡ 5 g de farine
- ➡ 5 g de semoule, de fécule

1 pincée
- ➡ de 3 à 5 g de sel ou d'épices

1 verre à moutarde ou 1 verre à eau
- ➡ de 18 à 20 cl de liquide
- ➡ 100 g environ de farine

1 verre à liqueur ➡ 3 cl
1 tasse à café ➡ 10 cl
1 tasse à thé ➡ 15 cl
1 pot de yaourt ➡ 15 cl
1 bol à déjeuner ➡ 40 cl

Équivalences entre °C et thermostat du four

C'est simple ! Il suffit de multiplier par 3 le thermostat pour avoir la température, ou de diviser par 3 la température pour obtenir le thermostat :

Température (°C)	Thermostat
30	1
60	2
90	3
120	4
150	5
180	6
210	7
240	8
270	9

Comment utiliser ce livre ?

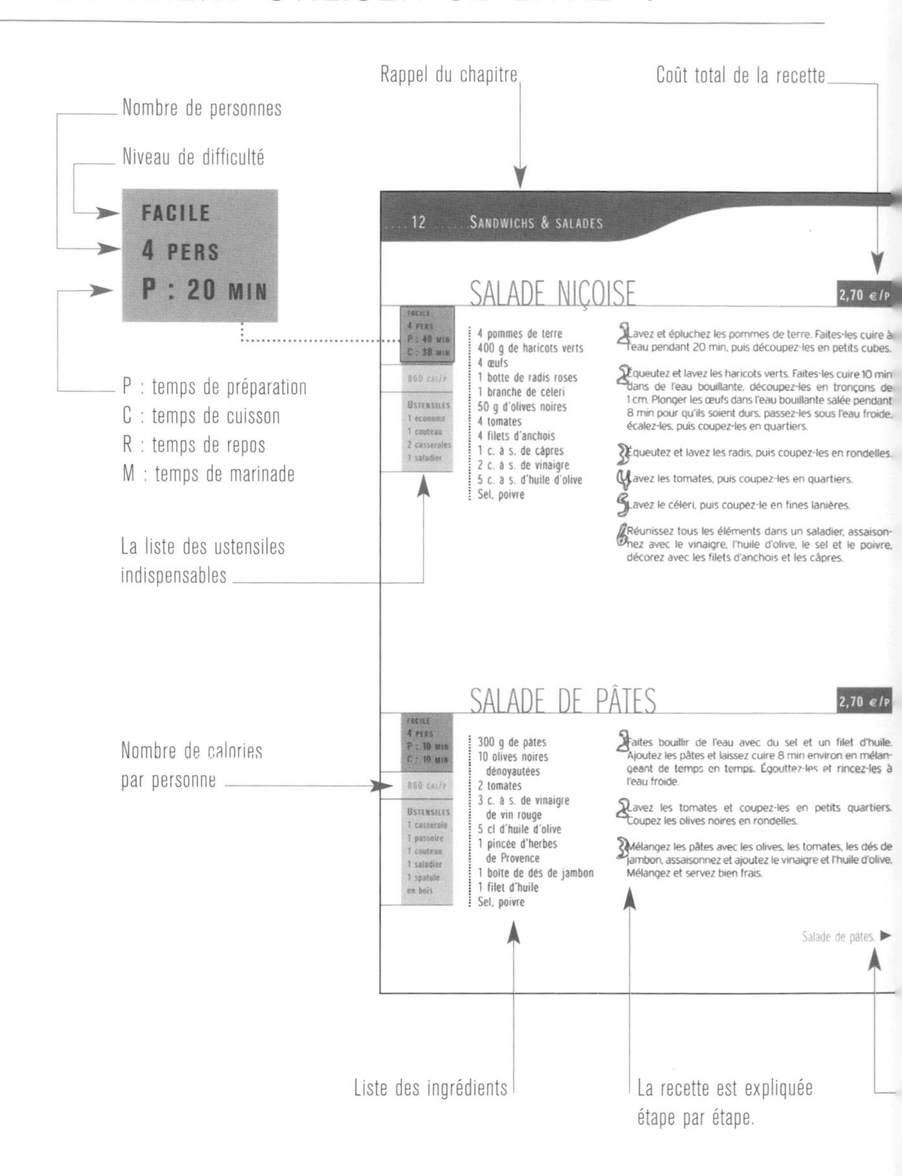

ENTRE COPAINS

GUACAMOLE

2,70 €/P

- 4 avocats
- 1 oignon rouge
- 1 gousse d'ail
- 1 tomate
- Le jus d'1 citron vert
- 1 c. à s. d'huile d'olive
- 1/2 piment vert (facultatif)
- 1 paquet de tortillas

1. Épluchez et hachez l'oignon et l'ail. Pelez les avocats et enlevez le noyau central.

2. Avec un couteau pointu, incisez la peau de la tomate en croix, puis plongez-la dans une casserole d'eau bouillante pendant 15 sec. Passez-la sous l'eau froide et pelez-la. Coupez la tomate en deux, enlevez les pépins et coupez la chair en dés.

3. Passez les avocats, l'huile d'olive, l'ail et le jus de citron vert au mixeur. Mélangez la purée d'avocats à l'oignon haché, au piment et aux dés de tomate et servez dans un bol avec les tortillas à part.

Une grande photo illustre l'une des deux recettes

Légende de la photo

CAROTTES RÂPÉES DES ÎLES

2,70 €

FACILE
4 PERS
P : 15 MIN
R : 2 H

140 CAL/P

USTENSILES
1 bol
1 passoire
1 plat creux

- 500 g de carottes râpées
- 2 bananes
- 20 g de raisins secs
- 1 jus d'orange
- 2 cl de lait de coco
- 4 cl de crème
- Origan frais haché
- Sel, poivre

1. Épluchez et coupez les bananes en rondelles.
2. Faites tremper les raisins secs dans de l'eau tiède pendant 10 min. Égouttez-les.
3. Mélangez les carottes râpées avec les bananes et les raisins secs. Mettez le mélange dans un plat creux.
4. Mélangez le jus d'orange avec le lait de coco, la crème et l'origan, assaisonnez.
5. Versez la sauce sur les carottes et laissez reposer 2 h au réfrigérateur avant de déguster.

SALADE ORIENTALE

8,20 €

FACILE
4 PERS
P : 45 MIN

420 CAL/P

USTENSILES
1 plat
2 casseroles
1 saladier

- 4 tomates
- 2 poivrons
- 400 g de haricots verts
- 150 g de riz
- 2 gousses d'ail
- 1 bouquet de coriandre
- 4 filets d'anchois
- 1 c. à s. de vinaigre
- 5 c. à s. d'huile d'olive

1. Posez les poivrons dans un plat au four à 200° jusqu'à ce que la peau devienne noire et cloquée sur toutes les faces, puis enfermez-les dans un sac plastique pendant 15 min
2. Débarrassez ensuite les poivrons de leurs pépins et de leur peau, puis découpez-les en fines lanières.
3. Pelez et hachez l'ail.
4. Ôtez le pédoncule des tomates et coupez-les en petits morceaux.
5. Équeutez et lavez les haricots verts. Faites-les cuire 10 min dans de l'eau bouillante.
6. Faites cuire le riz dans de l'eau bouillante salée. Triez, lavez et hachez la coriandre. Coupez les filets d'anchois en petits dés.
7. Réunissez tous les éléments dans un saladier, assaisonnez avec le vinaigre, l'huile d'olive, le sel et le poivre.

Carottes râpées des îles. ▶

SALADE DE TOMATES

5,90 €

FACILE
4 PERS
P : 10 MIN

190 CAL/P

USTENSILES
1 saladier

- 4 belles tomates
- 200 g de mozzarella
- 3 feuilles de basilic
- 3 c. à s. d'huile d'olive
- Sel de Guérande
- Poivre

1. Coupez les tomates en rondelles et disposez-les dans une assiette.
2. Coupez la mozzarella en tranches de 4 mm d'épaisseur et posez-les sur les tomates.
3. Saupoudrez de sel de Guérande et de poivre.
4. Arrosez d'huile d'olive et parsemez de feuilles de basilic ciselées, puis servez.

SALADE COMPOSÉE

4,40 €

FACILE
4 PERS
P : 10 MIN

480 CAL/P

USTENSILES
1 casserole
1 passoire
1 économe
1 essoreuse
1 bol
1 saladier

- 1 salade batavia
- 2 tomates
- 2 œufs
- 1/2 boule de céleri
- 2 carottes
- 2 tranches de jambon
- 2 c. à s. de mayonnaise
- 1 c. à s. de moutarde
- 3 c. à s. de vinaigre de vin rouge
- 9 c. à s. d'huile
- Sel, poivre

1. Faites cuire les œufs départ eau bouillante salée pendant 10 min. Refroidissez-les. Écalez-les et coupez-les en quartiers.
2. Coupez les tranches de jambon en petits dés. Lavez et coupez les tomates en petits quartiers. Épluchez les carottes et le céleri et râpez-les.
3. Ôtez le pied de la salade et effeuillez-la. Lavez-la et égouttez-la.
4. Mélangez la mayonnaise avec la moutarde, le vinaigre et assaisonnez. Puis incorporez l'huile petit à petit.
5. Mélangez tous les ingrédients et ajoutez la vinaigrette.

Salade composée. ▶

SALADE NIÇOISE

6,80 €

FACILE
4 PERS
P : 40 MIN
C : 38 MIN

470 CAL/P

USTENSILES
1 économe
2 casseroles
1 saladier

- 4 pommes de terre
- 400 g de haricots verts
- 4 œufs
- 1 botte de radis roses
- 1 branche de céleri
- 50 g d'olives noires
- 4 tomates
- 4 filets d'anchois
- 1 c. à s. de câpres
- 2 c. à s. de vinaigre
- 5 c. à s. d'huile d'olive
- Sel, poivre

1 Lavez et épluchez les pommes de terre. Faites-les cuire à l'eau pendant 20 min, puis découpez-les en petits cubes.

2 Équeutez et lavez les haricots verts. Faites-les cuire 10 min dans de l'eau bouillante, découpez-les en tronçons de 1 cm. Plonger les œufs dans l'eau bouillante salée pendant 8 min pour qu'ils soient durs, passez-les sous l'eau froide, écalez-les, puis coupez-les en quartiers.

3 Équeutez et lavez les radis, puis coupez-les en rondelles.

4 Lavez les tomates, puis coupez-les en quartiers.

5 Lavez le céleri, puis coupez-le en fines lanières.

6 Réunissez tous les éléments dans un saladier, assaisonnez avec le vinaigre, l'huile d'olive, le sel et le poivre, décorez avec les filets d'anchois et les câpres.

SALADE DE PÂTES

4,10 €

FACILE
4 PERS
P : 10 MIN
C : 10 MIN

510 CAL/P

USTENSILES
1 casserole
1 passoire
1 saladier
1 spatule en bois

- 300 g de pâtes
- 10 olives noires dénoyautées
- 2 tomates
- 3 c. à s. de vinaigre de vin rouge
- 5 cl d'huile d'olive
- 1 pincée d'herbes de Provence
- 1 boîte de dés de jambon
- 1 filet d'huile
- Sel, poivre

1 Faites bouillir de l'eau avec du sel et un filet d'huile. Ajoutez les pâtes et laissez cuire 8 min environ en mélangeant de temps en temps. Égouttez-les et rincez-les à l'eau froide.

2 Lavez les tomates et coupez-les en petits quartiers. Coupez les olives noires en rondelles.

3 Mélangez les pâtes avec les olives, les tomates, les dés de jambon, assaisonnez et ajoutez le vinaigre et l'huile d'olive. Mélangez et servez bien frais.

Salade de pâtes. ▶

SALADE DE TRÉVISE

aux fèves et vinaigrette d'anchois

10,90 €

FACILE
4 PERS
P : 40 MIN

510 CAL/P

USTENSILES
1 casserole
1 essoreuse
1 saladier
1 bol

- 600 g de salade 'Trévise'
- 1 kg de fèves
- 1 citron
- 6 filets d'anchois à l'huile
- 1 gousse d'ail hachée
- 5 c. à s. d'huile d'olive
- 1 bouquet de ciboulette

1. Écossez les fèves, puis plongez-les 8 min dans l'eau bouillante, passez-les sous l'eau froide et enlevez la petite peau qui les entoure.
2. Triez, lavez la salade, coupez-la en fines lanières.
3. Hachez les filets d'anchois au couteau et mélangez-les avec l'ail, le jus de citron et l'huile d'olive.
4. Dans un saladier, assaisonnez la salade et les fèves avec la vinaigrette d'anchois, parsemez de ciboulette hachée.

SALADE DE ROQUETTE

aux ravioles et vinaigrette balsamique

9,80 €

FACILE
4 PERS
P : 20 MIN

310 CAL/P

USTENSILES
1 essoreuse
1 économe
1 casserole
1 passoire
1 bol
1 saladier

- 250 g de roquette
- 150 g de ravioles
- 100 g de comté
- 2 c. à s. de crème fraîche
- 1 bouquet de ciboulette
- 5 c. à s. d'huile d'olive
- 2 c. à s. de vinaigre balsamique
- Sel, poivre

1. Triez, lavez et essorez la roquette.
2. Détaillez le comté en fines lamelles à l'aide d'un couteau-économe.
3. Lavez et coupez la ciboulette finement.
4. Mélangez l'huile d'olive avec le vinaigre balsamique, salez et poivrez.
5. Mettez les ravioles à cuire dans un grand volume d'eau salée. Lorsqu'elles remontent à la surface, coupez le feu et égouttez-les.
6. Dans la casserole hors du feu, ajoutez la crème fraîche aux ravioles et mélangez bien.
7. Dans un saladier, assaisonnez la roquette avec la vinaigrette, ajoutez les ravioles, le comté et parsemez de ciboulette.

Salade de trévise aux fèves et vinaigrette d'anchois. ▶

SALADE DE POMMES et vinaigrette de miel

7,10 €

FACILE
4 PERS
P : 30 MIN
T : 15 MIN

310 CAL/P

USTENSILES
1 bol
1 saladier
1 économe

- 2 pommes granny smith
- 4 carottes
- 100 g de raisins secs
- 100 g de comté
- 1 poivron rouge
- 1 citron
- 400 g de salade mélangée
- 1 c. à s. de miel
- 1 c. à s. de vinaigre de cidre
- 4 c. à s. d'huile
- Sel, poivre

1. Faites tremper les raisins secs dans de l'eau tiède pendant 15 min.
2. Lavez les pommes, coupez-les en deux, épépinez-les, puis découpez-les en fines tranches. Mélangez-les dans un saladier avec le jus de citron.
3. Lavez et épluchez les carottes à l'aide d'un couteau-économe, puis faites-en de fines lanières.
4. Lavez le poivron, coupez-le en deux, enlevez les graines et émincez-le très finement.
5. Coupez le comté en petits cubes.
6. Dans un saladier, mélangez le vinaigre et le miel, ajoutez l'huile, salez et poivrez. Ajoutez tous les éléments dans le saladier, mélangez.

SALADE CÉSAR

8,80 €

FACILE
4 PERS
P : 20 MIN
C : 5 MIN

470 CAL/P

USTENSILES
1 essoreuse
1 saladier

- 1 salade romaine
- 4 tranches de pain
- 4 filets d'anchois
- 1 gousse d'ail
- 50 g de parmesan
- 4 c. à s. de mayonnaise

1. Lavez la salade, enlevez la nervure centrale des plus grosses feuilles et coupez-la en lanières.
2. Dessalez les anchois dans de l'eau froide pendant 10 min et égouttez.
3. Épluchez l'ail et réduisez en purée avec les anchois.
4. Coupez le pain en petits cubes et faites-les colorer 5 min au four à 240° (thermostat 8). Laissez refroidir.
5. Mélangez la mayonnaise à la purée d'anchois, puis la salade à la mayonnaise et répartissez dans 4 bols.
6. Parsemez la salade de copeaux de parmesan et de croûtons avant de servir.

Salade de pommes et vinaigrette de miel. ▶

SALADE DE NOUILLES aux poivrons marinés

4,10 €

FACILE
4 PERS
P : 40 MIN
C : 20 MIN
M : 30 MIN

590 CAL/P

USTENSILES
1 plat
1 casserole
1 passoire
1 saladier

- 400 g de nouilles
- 4 poivrons
- 10 cl d'huile d'olive
- 2 gousses d'ail
- 1 bouquet de persil
- Sel, poivre

1. Lavez les poivrons, mettez-les dans un plat sous le gril du four, et retournez-les de temps en temps jusqu'à ce que la peau devienne noire. Enfermez-les quelques minutes dans un sac plastique alimentaire, puis pelez-les et enlevez toutes les graines.
2. Pelez et hachez l'ail, hachez le persil.
3. Faites mariner les poivrons dans l'huile d'olive assaisonnée avec l'ail pendant au moins 30 min.
4. Cuisez les pâtes dans une grande quantité d'eau bouillante salée. Égouttez-les quand elles sont cuites et passez-les sous l'eau froide.
5. Mélangez les pâtes avec les poivrons et le persil haché, assaisonnez.

SALADE DE RIZ AU THON

6 €

FACILE
4 PERS
P : 15 MIN
C : 20 MIN

580 CAL/P

USTENSILES
2 casseroles
1 passoire
1 saladier

- 350 g de riz
- 1 boîte de thon
- 2 tomates
- 3 œufs
- 10 bâtonnets de surimi
- 4 c. à s. de mayonnaise
- Sel, poivre

1. Faites cuire le riz départ eau bouillante salée pendant 10 min. Égouttez-le et refroidissez-le.
2. Faites cuire les œufs départ eau bouillante salée pendant 10 min. Refroidissez-les. Écalez-les et coupez-les en quartiers.
3. Lavez les tomates et coupez-les en dés ou quartiers.
4. Coupez les bâtonnets de surimi en petits morceaux. Émiettez le thon.
5. Mélangez tous les ingrédients puis ajoutez la mayonnaise. Mélangez et dégustez bien frais.

Salade de nouilles aux poivrons marinés. ▶

SALADE EXPRESS

3,90 €

FACILE
4 PERS
P : 10 MIN

140 CAL/P

USTENSILES
1 passoire
1 saladier

- 1 laitue
- 100 g de tomates cerises
- 1/2 concombre
- 1 boîte de maïs
- 1 boîte de thon
- 1 c. à s. de vinaigre de vin rouge
- 2 c. à s. de mayonnaise

1. Coupez la laitue en lanières.
2. Coupez les tomates cerises en deux.
3. Coupez le concombre en rondelles fines.
4. Égouttez la boîte de thon et celle de maïs.
5. Dans un saladier, mélangez tous les ingrédients, assaisonnez et répartissez dans 4 bols.

SALADE D'AUTOMNE

3,20 €

FACILE
4 PERS
P : 10 MIN

130 CAL/P

USTENSILES
1 économe
1 saladier

- 3 endives
- 1 poire à peine mûre
- 10 cerneaux de noix
- 75 g de tomme de brebis
- 1 c. à s. d'huile de noix
- 25 g de roquefort
- 1 c. à s. d'huile de pépins de raisin
- 1 c. à c. de condiment Savora
- 1 c. à s. de jus de citron
- Quelques brins de ciboulette
- 1 c. à s. de vinaigre de vin
- Sel, poivre

1. Retirez les premières feuilles des endives, creusez la base sur 1 cm de profondeur, coupez-les en deux, de haut en bas, puis recoupez-les en tronçons de 2 cm.
2. Épluchez la poire, coupez-la en lamelles et arrosez-la de jus de citron.
3. Mélangez dans un saladier le vinaigre, le roquefort, le condiment Savora, du sel et du poivre.
4. Ajoutez les huiles et émulsionnez la sauce à la fourchette.
5. Mélangez les endives et la poire avec la sauce.
6. Coupez la tomme de brebis en dés. Brisez les cerneaux de noix avec les doigts et répartissez-les sur la salade ainsi que la tomme.
7. Hachez la ciboulette avec des ciseaux et parsemez-en le tout avant de servir.

Salade d'automne. ▶

SALADE DE LENTILLES au magret fumé

7,90 €

FACILE
4 PERS
P : 40 MIN
C : 20 MIN

320 CAL/P

USTENSILES
1 casserole
1 passoire
1 saladier
1 ramequin

- 200 g de lentilles vertes du Puy
- 2 échalotes
- 200 g de magret fumé
- 1 c. à s. d'huile de noix
- 3 c. à s. d'huile d'arachide
- 1 c. à s. de vinaigre
- 1 branche de thym
- 1 feuille de laurier
- Sel, poivre

1. Dans une grande casserole d'eau bouillante, faites cuire les lentilles avec la branche de thym et la feuille de laurier pendant 20 min. Passez sous l'eau froide pour arrêter la cuisson.

2. Pelez et hachez très finement les échalotes. Dans un saladier, mélangez les lentilles, les échalotes, les huiles et le vinaigre, salez et poivrez.

3. Moulez les lentilles à l'aide d'un petit ramequin, déposez dessus les tranches de magret fumé.

SALADE DE LENTILLES au cervelas

3,20 €

FACILE
4 PERS
P : 10 MIN
C : 25 MIN

340 CAL/P

USTENSILES
1 casserole
1 passoire
1 saladier

- 200 g de lentilles
- 1/2 cervelas
- 1 oignon
- 5 c. à s. de vinaigre de vin rouge
- Sel, poivre

1. Mettez les lentilles dans une casserole avec de l'eau froide. Portez à ébullition et laissez cuire 10 min.

2. Ajoutez du sel et poursuivez la cuisson 15 min environ. Goûtez-les pour vérifier la cuisson puis égouttez-les.

3. Hachez l'oignon.

4. Enlevez la peau du cervelas et coupez-le en petits dés. Ajoutez-les aux lentilles ainsi que l'oignon haché. Mélangez et ajoutez le vinaigre. Rectifiez l'assaisonnement.

Salade de lentilles au magret fumé. ▶

SALADE GRECQUE

7,60 €

FACILE
4 PERS
P : 20 MIN

350 CAL/P

USTENSILES
1 essoreuse
1 bol

- 1 salade feuille de chêne
- 1 boîte de poivrons rouges pelés
- 1/2 concombre
- 1 yaourt
- 1 pincée de fenugrec
- Le jus d'1/2 citron
- 3 c. à s. d'huile d'olive
- 200 g de feta
- 4 tomates
- 20 olives noires

1 Lavez la salade et essorez-la. Coupez le concombre en rondelles. Égouttez les poivrons et coupez-les en lanières.

2 Épluchez et écrasez l'ail. Mélangez le yaourt, le jus de citron, l'ail, l'huile d'olive, le fenugrec et assaisonnez. Coupez la feta en petit dés.

3 Lavez les tomates et coupez-les en quartiers.

4 Dressez la salade sur les assiettes, parsemez-la de lanières de poivrons, de rondelles de concombre, de quartiers de tomate, de dés de feta et d'olives noires, puis assaisonnez-la de sauce au yaourt.

SALADE DE HARICOTS VERTS

2,30 €

FACILE
4 PERS
P : 10 MIN

300 CAL/P

USTENSILES
1 passoire
1 saladier

- 1 boîte de haricots verts cuits
- 1 gousse d'ail
- 7 cl de vinaigre de vin
- 10 cl d'huile (parfumée)
- Sel, poivre

1 Égouttez les haricots verts.

2 Épluchez la gousse d'ail et coupez-la en deux. Enlevez le germe et hachez-la finement.

3 Mettez les haricots dans un saladier, assaisonnez, ajoutez le vinaigre, l'ail et l'huile. Mélangez bien et dégustez.

4 Vous pouvez ajouter du jambon ou une autre charcuterie.

Salade grecque. ▶

SALADE DE PÂTES
à la sicilienne

8,10 €

Facile
4 pers
P : 15 min
C : 10 min

800 cal/p

Ustensiles
1 casserole
1 passoire
1 saladier

- 400 g de penne
- 4 tomates
- 3 filets d'anchois
- 200 g d'olives vertes et noires dénoyautées
- 100 g de fromage de chèvre frais
- 10 cl d'huile d'olive
- Origan
- Sel, poivre

1. Avec un couteau pointu, incisez la peau des tomates en croix, puis plongez-les dans une casserole d'eau bouillante pendant 2 min Passez-les sous l'eau froide, pelez-les, puis coupez-les en deux et ôtez les pépins. Coupez la chair en lanières.
2. Coupez les olives et le fromage en petits dés, les anchois en petits morceaux.
3. Dans un saladier, mélangez tous les ingrédients avec l'huile d'olive, assaisonnez.
4. Cuisez les pâtes dans une grande quantité d'eau bouillante salée. Égouttez-les quand elles sont cuites et passez-les sous l'eau froide.
5. Mélangez les pâtes froides à la préparation dans le saladier.

SALADE TRÈS VERTE
au saumon fumé

10,50 €

Facile
4 pers
P : 40 min
C : 12 à 20 min

270 cal/p

Ustensiles
1 casserole
1 passoire
1 saladier

- 4 tranches de saumon fumé
- 500 g de petits pois
- 100 g de pois gourmands
- 100 g de haricots verts
- 100 g de brocoli
- 1 bouquet d'aneth
- 1/2 pot de yaourt
- 1 c. à s. d'huile d'olive
- 1 citron
- Sel, poivre

1. Écossez les petits pois. Équeutez et lavez les pois gourmands et les haricots verts. Lavez et hachez l'aneth.
2. Triez et lavez le brocoli, puis séparez les petites sommités.
3. Dans une grande casserole d'eau bouillante, cuisez tous les légumes al dente (de 10 à 15 min), les uns après les autres, puis passez-les sous l'eau froide pour arrêter la cuisson.
4. Découpez le saumon fumé en lanières.
5. Mélangez dans un saladier le yaourt, l'huile d'olive, le jus du citron, l'aneth haché, assaisonnez, ajoutez tous les légumes, disposez dessus les lanières de saumon fumé.

Salade très verte au saumon fumé. ▶

SALADE DE CHOU ROUGE

à la pomme et aux œufs bleus

3,80 €

ASSEZ FACILE
4 PERS
P : 20 MIN
C : 25 MIN

220 CAL/P

USTENSILES
2 casseroles
1 saladier

- 4 œufs
- 1 pomme
- 1 jus de citron
- 3 c. à s. d'huile d'olive
- 1/2 chou rouge
- Sel, poivre

1. Faites cuire les œufs dans de l'eau pendant 10 min et écaillez-les.
2. Coupez le chou en deux, prélevez 2 feuilles et coupez le restant du chou en tranches fines.
3. Épluchez, enlevez le trognon de la pomme et coupez-la en tranches fines. Faites cuire les 2 feuilles de chou dans 1 litre d'eau pendant 15 min.
4. Enlevez les feuilles de chou, placez les œufs dans l'eau de cuisson des feuilles de chou et laissez refroidir.
5. Mélangez le chou émincé avec les tranches de pomme et l'huile d'olive, le jus de citron, mélangez et assaisonnez.
6. Servez chaque salade de chou surmonté d'un œuf bleu.

SALADE DE POMMES DE TERRE

au jambon

3,40 €

FACILE
4 PERS
P : 10 MIN
C : 30 MIN

260 CAL/P

USTENSILES
1 casserole
1 saladier

- 4 grosses pommes de terre
- 3 tranches de jambon blanc
- 6 cornichons
- 1 oignon
- 2 c. à s. de mayonnaise
- 3 c. à s. de vinaigre de vin rouge
- Sel, poivre

1. Lavez les pommes de terre et mettez-les dans une casserole avec de l'eau froide et du sel. Portez à ébullition et laissez cuire environ 30 min. Vérifiez la cuisson avec la lame d'un couteau.
2. Égouttez-les. Épluchez-les et coupez-les en petits cubes. Coupez les cornichons en rondelles. Coupez le jambon en petits dés. Hachez l'oignon.
3. Mélangez les pommes de terre avec les cornichons, l'oignon et le jambon. Ajoutez la mayonnaise, le vinaigre et assaisonnez. Mélangez et dégustez.

Salade de chou rouge à la pomme et aux œufs bleus. ▶

SALADE DE SOJA AU CRABE

5,40 €

FACILE
4 PERS
P : 20 MIN

100 CAL/P

USTENSILES
1 économe
1 râpe
1 saladier

- 200 g de germes de soja
- 2 carottes
- 1 radis noir
- 1 boîte de chair de crabe
- 1 bouquet de ciboulette
- 1 c. à c. d'huile de noix
- 4 c. à s. d'huile d'arachide
- 1 citron
- Sel, poivre

1. Pelez, lavez et râpez les carottes et le radis noir.
2. Lavez et hachez la ciboulette.
3. Pressez le citron.
4. Effilochez la chair de crabe.
5. Mélangez tous les ingrédients dans un saladier, assaisonnez.

KEBAB D'AGNEAU

6,50 €

FACILE
4 PERS
P : 30 MIN
C : 15 MIN

350 CAL/P

USTENSILES
1 essoreuse
1 saladier
1 poêle

- 400 g d'épaule d'agneau
- 2 feuilles de salade
- 1 tomate
- 1 oignon
- 4 pains plats
- 1 jus de citron
- 1 pincée de cumin
- 1 pincée de piment de Caycnne
- 1 pincée de curry
- 2 c. à s. d'huile d'olive
- Sel, poivre

1. Coupez la tomate en rondelles. Lavez, essorez et coupez la salade en lanières. Épluchez, coupez l'oignon en deux, puis en fines lanières.
2. Émincez très finement l'épaule d'agneau.
3. Mélangez les lanières de viande à l'huile d'olive, le jus de citron, les épices et assaisonnez.
4. Faites colorer les lanières de viande dans une grande poêle 15 min et réservez.
5. Faites chauffer les pains dans le four, puis coupez-les aux trois quarts dans l'épaisseur.
6. Répartissez la garniture à l'intérieur et terminez par les lanières de viande. Servez.

Kebab d'agneau. ▶

TABOULÉ AUX FRUITS ROUGES

4,90 €

FACILE
6 PERS
P : 20 MIN
C : 5 MIN

230 CAL/P

USTENSILES
1 plat creux
1 casserole
1 passoire

- 250 g de semoule à couscous
- 200 g de fruits rouges (myrtilles, cassis, groseilles, fraises des bois)
- 260 g de bouillon de volaille
- 1 oignon haché
- 1/2 botte de coriandre hachée
- 5 cl d'huile d'olive
- 2 jus de citron vert
- Sel, poivre

1. Versez la semoule dans un plat creux et mélangez-la avec 3 cl d'huile d'olive.
2. Dans une poêle, faites revenir l'oignon dans l'huile d'olive bien chaude jusqu'à ce qu'il soit translucide, puis ajoutez le bouillon.
3. Faites bouillir et versez sur la semoule. Recouvrez d'un papier aluminium et laissez gonfler 10 min.
4. Mélangez avec une fourchette et ajoutez le jus des citrons, la coriandre et assaisonnez.
5. Lavez et égouttez les fruits rouges. Au moment de servir, mélangez délicatement la semoule avec les fruits rouges.

TARTINES TOMATE-MOZZARELLA

5,10 €

FACILE
4 PERS
P : 10 MIN
C : 8 MIN

140 CAL/P

USTENSILES
1 couteau à dents

- 1/2 baguette un peu rassise
- 2 tomates
- 200 g de mozzarella
- 1 pincée d'herbes de Provence
- 1 gousse d'ail
- Sel, poivre

1. Détaillez la baguette en quatre tartines. Épluchez la gousse d'ail et frottez-en les tartines.
2. Lavez les tomates et coupez-les en rondelles ainsi que la mozzarella.
3. Disposez les rondelles de tomate et de mozzarella en alternant sur les tartines. Saupoudrez d'herbes de Provence, assaisonnez, et enfournez 8 min à 200° (thermostat 7).

Tartines tomate-mozzarella. ▶

LE RÂPÉ

4,10 €

Facile
4 pers
P : 10 min

290 cal/p

Ustensiles
1 économe
2 saladiers

- 8 tranches de pain de seigle
- 150 g de feuilles de chou rouge
- 1 carotte
- 100 g de pousses de soja
- 1/2 oignon
- 4 grosses tranches de mortadelle
- Le jus d'1/2 citron
- 1/2 pomme
- 1 pincée de gros sel
- 2 c. à s. d'huile d'olive
- 1 c. à s. de mayonnaise

1. Enlevez la nervure centrale des feuilles de chou et coupez-les en fines lanières.
2. Épluchez la pomme, coupez-la en deux, ôtez le cœur, puis râpez les deux portions.
3. Dans un saladier, mélangez la pomme, le chou, le jus de citron et l'huile d'olive, puis saupoudrez du gros sel.
4. Épluchez et râpez la carotte. Épluchez et coupez l'oignon en fines tranches. Mélangez l'oignon, la carotte, les pousses de soja et la mayonnaise.
5. Répartissez les légumes sur 4 tranches de pain, recouvrez avec une tranche de mortadelle et terminez par les 4 tranches de pain restantes.

A380

9,60 €

Facile
4 pers
P : 10 min

690 cal/p

Ustensiles
1 essoreuse

- 12 tranches de pain de mie
- 40 g de beurre
- 4 tranches de jambon blanc
- 1 tomate
- 4 feuilles de laitue
- 4 tranches de jambon cru
- 4 c. à s. de mayonnaise
- 100 g de gruyère

1. Tartinez 4 tranches de pain de mie de mayonnaise. Tartinez 4 autres tranches de pain de mie de beurre.
2. Coupez la tomate en rondelles. Coupez le gruyère en fines tranches. Lavez et essorez les feuilles de laitue et enlevez la partie centrale.
3. Répartissez les tranches de gruyère sur les tranches de pain de mie tartinées de mayonnaise.
4. Posez par-dessus une tranche de jambon blanc et une feuille de laitue.
5. Recouvrez le tout avec les tranches de pain de mie au beurre, puis surmontez d'une tranche de jambon cru.
6. Terminez par les rondelles de tomates, puis recouvrez des 4 tranches de pain de mie restantes

MAURICETTE

3,30 €

FACILE
4 PERS
P : 10 MIN

430 CAL/P

USTENSILES
1 essoreuse

- 4 petits pains briochés
- 4 saucisses de Strasbourg
- 4 c. à s. de mayonnaise
- 4 feuilles de laitue
- 100 g d'emmental râpé

1. Fendez le pain brioché en deux dans le sens de la longueur.
2. Coupez les saucisses de Strasbourg en fines rondelles.
3. Lavez et essorez les feuilles de laitue, ôtez la nervure centrale puis coupez-les en lanières.
4. Tartinez l'intérieur des pains briochés de mayonnaise, puis garnissez-les de rondelles de saucisses, de lanières de laitue et d'emmental râpé.

SANDWICH COLESLAW

2,40 €

FACILE
4 PERS
P : 10 MIN
R : 1 H

140 CAL/P

USTENSILES
1 économe
1 râpe
1 saladier

- 8 tranches de pain noir
- 1 carotte
- 1 pomme
- 1 oignon
- 1/2 chou blanc
- 50 g de raisins secs

1. Épluchez et râpez la carotte. Coupez le chou en fines lanières. Épluchez l'oignon, coupez-le en deux et détaillez-le en fines tranches.
2. Épluchez la pomme, coupez-la en deux, ôtez le cœur et détaillez-la en fines tranches.
3. Rassemblez la carotte, le chou, la pomme, l'oignon et les raisins dans un saladier, mélangez bien et laissez au frais pendant 1 h.
4. Répartissez le coleslaw sur 4 tranches de pain, puis recouvrez avec les 4 tranches restantes et dégustez.

Mauricette. ▶

SANDWICH FETA, poivron, concombre

6,30 €

FACILE
4 PERS
P : 10 MIN
C : 10 MIN

540 CAL/P

USTENSILES
1 économe
1 essoreuse

- 2 baguettes
- 1/4 de concombre
- 150 g de feta
- 1 gousse d'ail
- 1 yaourt nature
- 1 boîte de poivrons pelés
- 2 c. à s. d'huile d'olive
- 4 feuilles de laitue
- Sel, poivre

1. Coupez les baguettes en deux, puis fendez chaque tronçon dans le sens de la longueur.
2. Épluchez le concombre puis coupez-le en rondelles. Égouttez les poivrons. Coupez la feta en petits dés. Épluchez l'ail et hachez-le.
3. Faites mariner les poivrons dans l'huile d'olive et l'ail pendant 30 min.
4. Tartinez l'intérieur des baguettes de yaourt.
5. Lavez et essorez les feuilles de laitue, ôtez la nervure centrale puis coupez-les en lanières.
6. Garnissez les sandwichs de rondelles de concombre, de poivron, de laitue, de feta et assaisonnez.

SANDWICH TARTARE

4,80 €

FACILE
4 PERS
P : 10 MIN

320 CAL/P

USTENSILES
1 saladier

- 500 g de viande de bœuf hachée
- 1 c. à s. de moutarde
- 2 jaunes d'œufs
- 4 cornichons
- 1 c. à s. de câpres
- 1 échalote
- 1 c. à c. de ketchup
- 4 gouttes de Tabasco
- 4 gouttes de sauce Worcestershire
- 4 buns américains
- Sel, poivre

1. Hachez l'échalote, les câpres, les cornichons et réservez.
2. Dans un saladier, mélangez la moutarde, les jaunes d'œufs, le ketchup, le Tabasco et la sauce Worcestershire.
3. Ajoutez le bœuf haché, le hachis échalotes-câpres-cornichons, mêlez bien le tout et assaisonnez.
4. Coupez les buns en deux et toastez-les. Répartissez la viande en quatre et garnissez-en les buns.

Sandwich feta, poivron, concombre. ▶

HOT DOGS

3,20 €

FACILE
4 PERS
P : 5 MIN
C : 10 MIN

400 CAL/P

USTENSILES
1 casserole
1 bol

- 1 baguette
- 4 saucisses de Strasbourg
- 2 c. à s. de mayonnaise
- 2 c. à s. de ketchup

1. Coupez la baguette en quatre et ouvrez chaque morceau.
2. Dans une casserole d'eau, mettez les saucisses à cuire à feu modéré jusqu'à ébullition. Vérifiez la cuisson et égouttez-les.
3. Mélangez la mayonnaise et le ketchup et tartinez les morceaux de baguette de cette sauce. Ajoutez une saucisse dans chacun et refermez-les.
4. Enfournez 5 min à 180° (thermostat 6).

CROQUE ESPAGNOL

5,50 €

ASSEZ FACILE
4 PERS
P : 10 MIN
C : 10 MIN

590 CAL/P

USTENSILES
1 casserole
1 fouet

- 8 tranches de pain de mie
- 12 grosses tranches de chorizo
- 100 g de gruyère râpé
- 40 cl de lait
- 60 g de farine
- 60 g de beurre
- 1 c. à s. de concentré de tomates
- 1 pincée de noix de muscade
- Sel, poivre

1. Faites fondre le beurre dans une casserole, ajoutez la farine et mélangez.
2. Ajoutez petit à petit le lait en remuant avec un fouet, puis incorporez le concentré de tomates et la muscade. Assaisonnez, mélangez bien et laissez cuire 5 min.
3. Répartissez la moitié de la béchamel sur 4 tranches de pain.
4. Ajoutez 3 tranches de chorizo sur chaque croque, recouvrez d'une tranche de pain, puis nappez du restant de béchamel.
5. Saupoudrez de gruyère râpé et faites cuire dans un four chaud à 210° (thermostat 7) pendant 10 min.

Hot dogs. ▶

CROQUE-MADAME

5,20 €

ASSEZ FACILE
4 PERS
P : 10 MIN
C : 10 MIN

530 CAL/P

USTENSILES
1 casserole
1 fouet
1 poêle

- 8 tranches de pain de mie
- 4 tranches de jambon blanc
- 50 cl de lait
- 4 œufs
- 30 g de beurre
- 30 g de farine
- 30 g de gruyère râpé
- 1 pincée de noix de muscade râpée
- 1 noix de beurre
- Sel, poivre

1. Faites fondre le beurre dans une casserole et ajoutez la farine. Mélangez avec un fouet, puis versez le lait froid en fouettant toujours. Ajoutez sel, poivre et muscade. Faites bouillir la béchamel en mélangeant. Puis laissez-la refroidir.
2. Badigeonnez quatre tranches de pain de mie avec un peu de béchamel. Coupez les tranches de jambon en quatre. Posez deux morceaux de jambon sur le pain de mie. Ajoutez un peu de béchamel et recouvrez avec une autre tranche de pain de mie. Ajoutez les deux autres morceaux de jambon, puis un peu de béchamel.
3. Saupoudrez le tout de gruyère râpé et enfournez à 200° (thermostat 7) pendant 8 min environ.
4. Faites fondre une noix de beurre dans une poêle et cassez les œufs dedans. Assaisonnez et laissez cuire 1 min.
5. Ajoutez un œuf sur chaque croque-madame et dégustez.

CROQUE CHÈVRE ET MARMELADE

6,70 €

FACILE
4 PERS
P : 15 MIN
C : 10 MIN

780 CAL/P

USTENSILES
1 poêle

- 4 œufs
- 8 tranches de pain de mie
- 4 c. à s. de marmelade
- 400 g de fromage de chèvre en rouleau
- 12 tranches de bacon
- 20 g de beurre

1. Coupez le chèvre en rondelles.
2. Tartinez 4 tranches de pain de mie de marmelade et posez sur chacune 3 tranches de bacon.
3. Répartissez sur ces tranches la moitié des rondelles de chèvre.
4. Recouvrez chaque croque d'une tranche de pain, puis répartissez dessus le reste des rondelles de chèvre.
5. Cuisez les croques 10 min dans un four chaud à 210° (thermostat 7).
6. Entre-temps, faites cuire les œufs au plat, dans une poêle avec le beurre bien chaud. Déposez les œufs sur les croques et servez.

Croque chèvre et marmelade. ▶

HAMBURGERS EN BAGUETTE

8,60 €

FACILE
4 PERS
P : 15 MIN
C : 5 MIN

640 CAL/P

USTENSILES
1 poêle
1 essoreuse

- 1 baguette
- 4 feuilles de salade
- 1 c. à s. de moutarde
- 1 c. à s. de ketchup
- 1/2 oignon
- 4 cornichons
- 8 tranches de cheddar
- 4 steaks hachés
- 20 g de beurre

1. Coupez la baguette en quatre dans le sens de la longueur et ouvrez les morceaux comme des sandwichs.

2. Coupez l'oignon en tranches fines et les cornichons en rondelles. Lavez la salade et essorez-la.

3. À la poêle, faites cuire les steaks à la cuisson désirée dans une noix de beurre.

4. Tartinez les baguettes de moutarde et de ketchup.

5. Répartissez les cornichons, les tranches d'oignon, la salade et le fromage dans les quatre morceaux de baguette.

6. Placez un steak haché à l'intérieur de chaque hamburger et servez.

BRUSCHETTA DE PAIN RASSIS

2,10 €

FACILE
4 PERS
P : 10 MIN
C : 5 MIN

290 CAL/P

USTENSILES
1 couteau
à dents

- 1 baguette rassise
- 3 c. à s. d'huile d'olive
- 2 tomates
- 1/2 oignon

1. Coupez le pain en deux dans la largeur, puis encore en deux dans la longueur.

2. Pelez l'oignon et coupez-le en rondelles. Coupez les tomates en rondelles.

3. Badigeonnez le pain avec l'huile d'olive, posez par-dessus les rondelles d'oignon et les tranches de tomates, assaisonnez.

4. Passez sous le gril du four pendant 5 min et servez chaud.

Bruschetta de pain rassis. ▶

BRUSCHETTA ROMAINE

3,30 €

FACILE
4 PERS
P : 15 MIN

220 CAL/P

Ustensiles
1 couteau à dents

- 1 baguette
- 2 tomates
- 2 gousses d'ail pelées
- 10 feuilles de basilic ciselées
- 30 g de tapenade noire
- Huile d'olive
- Sel, poivre

1. Coupez la baguette en tranches. Posez-les sur une plaque et passez-les au four à 200° (thermostat 7) pendant 2 min.
2. Laissez-les refroidir, puis frottez-les avec les gousses d'ail et versez un filet d'huile d'olive.
3. Lavez, essuyez et ôtez le pédoncule des tomates. Émincez-les.
4. Tartinez les toasts avec un peu de tapenade, recouvrez de tomates émincées, assaisonnez, versez un filet d'huile d'olive et parsemez de basilic.
5. Servez sur une salade de mesclun.

SANDWICH THON-BANANE

6,70 €

FACILE
4 PERS
P : 20 MIN

410 CAL/P

Ustensiles
1 passoire
1 saladier

- 1 banane
- 1 boîte de miettes de thon de 500 g
- 4 pains pita
- 1/4 d'oignon rouge
- 4 c. à s. de mayonnaise
- Poivre

1. Épluchez la banane et coupez-la en rondelles.
2. Égouttez les miettes de thon. Épluchez et hachez l'oignon. Fendez les pains pita.
3. Mélangez la mayonnaise et les miettes de thon, puis assaisonnez de poivre.
4. Garnissez les pains pita avec une première couche de mayonnaise au thon, puis une couche de rondelles de banane et enfin avec le hachis d'oignon.

Bruschetta romaine. ▶

ÉVENTAILS DE MELON
au jambon de Parme

5,10 €

FACILE
1 PERS
P : 10 MIN
R : 1 H

170 CAL/P

USTENSILES
1 casserole

- 1/4 melon
- 2 tranches de jambon de Parme
- 1 tomate
- 5 feuilles de basilic ciselées

1. Retirez les pépins du melon et enlevez la peau, puis taillez-le en tranches fines.

2. Lavez et enlevez le pédoncule de la tomate. Plongez-la 10 s dans de l'eau bouillante et passez-la sous l'eau froide. Épluchez-la, coupez-la en quatre, retirez les pépins et coupez-la en petits cubes.

3. Coupez les tranches de jambon en quatre.

4. Sur votre assiette, disposez en alternant les tranches de melon et les tranches de jambon de Parme.

5. Parsemez de basilic et de cubes de tomates, puis mettez au réfrigérateur 1 h.

BLANC DE VOLAILLE RÔTI
en croûte

3,60 €

FACILE
1 PERS
P : 20 MIN
C : 15 MIN

230 CAL/P

USTENSILES
1 bol
1 plat

- 1 blanc de volaille
- 1 cuillère à soupe de chapelure
- 1 cuillère à soupe d'huile d'olive
- 4 brins de persil
- 2 brins de cerfeuil
- 2 brins de ciboulette
- Sel, poivre

1. Hachez les herbes, mélangez-les à la chapelure et à l'huile d'olive, puis assaisonnez.

2. Répartissez le mélange d'herbes sur le blanc de volaille et faites cuire pendant 15 min dans un four préchauffé à 220° (thermostat 7).

3. Servez avec une salade verte.

Blanc de volaille rôti en croûte. ▶

CARRELET À LA CRÈME de ciboulette

4,50 €

ASSEZ FACILE
1 PERS
P : 40 MIN
C : 45 À 50 MIN

480 CAL/P

USTENSILES
1 poêle
1 casserole

- 1 filet de carrelet
- 1 échalote
- 5 cl de vin blanc
- 5 cl de fumet de poisson
- 10 cl de crème fraîche
- 1 bouquet de ciboulette
- 25 g de beurre
- 1 filet d'huile d'olive
- Sel, poivre

1. Pelez et hachez l'échalote. Triez, lavez et hachez la ciboulette.
2. Dans une casserole, faites revenir l'échalote pendant 3 min dans 20 g de beurre, puis ajoutez le vin blanc. Portez à ébullition et laissez réduire jusqu'à ce qu'il n'y ait plus de liquide.
3. Ajoutez le fumet de poisson, laissez réduire de trois quarts et ajoutez la crème.
4. Faites bouillir le tout 5 min, ajoutez le beurre froid restant et fouettez.
5. Ajoutez la ciboulette. Faites chauffer une poêle avec l'huile, assaisonnez les filets et faites-les cuire 2 min de chaque côté.
6. Servez les filets nappés de sauce à la ciboulette.

SALADE DE TOMATES CERISES, pancetta et endives

5,30 €

FACILE
1 PERS
P : 15 MIN
C : 2 MIN

340 CAL/P

USTENSILES
1 bol
1 poêle
1 saladier

- 2 endives
- 4 tranches de pancetta
- 4 tomates cerises
- 1 cuillère à soupe de moutarde
- 1 cuillère à soupe de vinaigre de Xérès
- 3 c. à s. d'huile d'olive
- Sel, poivre

1. Coupez le trognon des endives puis détaillez-les en rondelles.
2. Mélangez le vinaigre et la moutarde, puis incorporez l'huile en filet tout en remuant avec un fouet. Assaisonnez.
3. Poêlez les tranches de pancetta à sec pendant 2 min, puis retirez-les du feu et laissez-les refroidir.
4. Mélangez les tomates cerises, les endives et la pancetta, arrosez de vinaigrette.

Salade de tomates cerises, pancetta et endives. ▶

AVOCAT FARCI À LA FETA

2,10 €

FACILE
1 PERS
P : 15 MIN

940 CAL/P

USTENSILES
1 casserole
1 saladier

- 1 avocat
- 150 g de feta
- 1 tomate
- 250 g de noisettes
- 2 feuilles de menthe
- 2 c. à s. d'huile d'olive
- Sel, poivre

1. Ébouillantez la tomate pendant 2 min, puis passez-les sous l'eau froide et pelez-la. Coupez-la en deux, enlevez les pépins et détaillez la chair en petits dés.

2. Coupez la feta en petits dés. Concassez grossièrement les noisettes. Triez, lavez et hachez la menthe.

3. Mélangez la feta avec l'huile d'olive, les noisettes, les dés de tomates et la menthe ; assaisonnez.

4. Coupez l'avocat en deux, enlevez le noyau et répartissez la préparation dedans.

AVOCAT AUX CREVETTES

2,20 €

FACILE
1 PERS
P : 15 MIN

120 CAL/P

USTENSILES
1 bol

- 1 avocat
- 4 crevettes roses cuites
- 1 c. à c. de mayonnaise
- 1 pincée de curry
- Sel, poivre

1. Ôtez la tête des crevettes et décortiquez-les. Coupez les queues en petits morceaux. Mélangez avec la mayonnaise, le curry et assaisonnez.

2. Coupez l'avocat en deux et enlevez le noyau. Remplissez-le de mélange et dégustez.

Avocat aux crevettes. ▶

AVOCAT AU THON

1,90 €

FACILE
1 PERS
P : 15 MIN

120 CAL/P

USTENSILES
1 bol

- 1 avocat
- 1 cuillère à soupe de thon en boîte
- 1 c. à c. de mayonnaise
- 1/2 tomate
- 1/2 oignon
- Sel, poivre

1. Égouttez le thon et émiettez-le dans un saladier.
2. Épluchez l'oignon et hachez-le finement.
3. Lavez la tomate et coupez-la en petits dés. Ajoutez-la au thon ainsi que la mayonnaise, l'oignon, et assaisonnez.
4. Coupez l'avocats en deux et ôtez le noyau. Remplissez-le de mélange et dégustez.

PAMPLEMOUSSE FARCI AU CRABE

4 €

FACILE
1 PERS
P : 15 MIN

390 CAL/P

USTENSILES
1 râpe
1 saladier

- 1/2 pamplemousse
- 1/2 boîte de miettes de crabe
- 70 g de céleri rave
- 25 g de cacahuètes
- 1 c. à c. de moutarde
- 1 c. à s. d'huile d'olive
- Sel, poivre

1. Videz le pamplemousse. Récupérez les quartiers de pulpe que vous détaillez en petits morceaux.
2. Pelez et râpez le céleri rave. Concassez grossièrement les cacahuètes.
3. Mélangez les morceaux de pamplemousses avec le céleri, la moutarde, les cacahuètes, l'huile d'olive et les miettes de crabe.
4. Remplissez le demi-pamplemousse avec cette farce et servez très frais.

Pamplemousse farci au crabe. ▶

SOUPE DE MELON ET DE TOMATES 4,60 €

FACILE
1 PERS
P : 20 MIN
C : 2 MIN

180 CAL/P

USTENSILES
1 casserole
1 poêle
1 mixeur
1 saladier

- 1/4 melon
- 1/2 tranche de jambon de Parme
- 1 tomate
- 1 feuille de basilic
- 1 cuillère à soupe d'huile d'olive

1. Avec un couteau pointu, incisez la peau de la tomate, puis plongez-la dans une casserole d'eau bouillante pendant 1 min, passez-la sous l'eau froide. Pelez-la, coupez-la en deux, ôtez les pépins et coupez la chair en dés.
2. Épépinez le melon, ôtez la peau, puis coupez sa chair en dés.
3. Coupez le jambon de Parme en lamelles fines et le basilic en lanières fines.
4. Dans une poêle, faites revenir dans l'huile d'olive le melon et les tomates pendant 2 min. Ajoutez le basilic en fin de cuisson.
5. Passez la préparation au mixeur et laissez refroidir au réfrigérateur.
6. Répartissez la soupe dans 4 bols, puis parsemez de lamelles de jambon avant de servir.

POIREAU EN VINAIGRETTE 1,10 €

FACILE
1 PERS
P : 10 MIN
C : 25 MIN

50 CAL/P

USTENSILES
1 grande casserole
1 passoire
1 bol

- 3 poireau
- 1 c. à s. de moutarde
- 3 c. à s. de vinaigre de vin rouge
- 9 c. à s. d'huile
- Sel, poivre

1. Ôtez le pied des poireaux ainsi que la partie verte. Fendez-les en deux et lavez-les en décollant les premières feuilles pour bien enlever la terre.
2. Faites bouillir une grande casserole d'eau avec du sel. Puis ajoutez les poireaux et laissez cuire 25 min environ. Piquez-les pour vérifier la cuisson. Dès qu'ils sont tendres, égouttez-les et laissez-les refroidir.
3. Pour la vinaigrette : mélangez la moutarde avec le vinaigre et assaisonnez. Puis ajoutez progressivement l'huile en mélangeant.

Poireau en vinaigrette. ▶

TARTARE DE TOMATES

2,60 €

Facile
1 pers
P : 15 min

170 cal/p

Ustensiles
1 casserole
1 saladier

- 2 tomates
- 1 tranche de chèvre frais
- 2 feuilles de basilic
- 1/2 gousse d'ail
- 4 c. à s. d'huile d'olive
- Sel, poivre

1. Avec un couteau pointu, incisez en croix la peau des tomates, puis plongez-les dans une casserole d'eau bouillante pendant 2 min.
2. Passez-les sous l'eau froide, pelez-les, puis coupez-les en deux et enlevez les pépins. Détaillez ensuite la chair en petits dés.
3. Lavez et hachez le basilic, pelez et hachez la gousse d'ail, les tomates et mélangez le tout avec l'huile d'olive. Assaisonnez.
4. Posez une tranche de chèvre sur le fond de l'assiette et ajoutez le concassé de tomate par-dessus.

ŒUF MIMOSA AU JAMBON

0,60 €

Facile
1 pers
P : 5 min
C : 10 min

80 cal/p

Ustensiles
1 casserole
1 passoire
1 saladier

- 1 œuf
- 1/2 tranches de jambon blanc
- 1 c. à s. de mayonnaise
- Sel, poivre

1. Faites bouillir de l'eau salée dans une casserole et ajoutez les œufs. Laissez cuire 10 min à petite ébullition. Égouttez-les et refroidissez-les.
2. Écalez-les, coupez-les en deux, puis récupérez les jaunes. Coupez le jambon blanc en petits dés. Écrasez les jaunes à la fourchette, puis ajoutez le jambon et la mayonnaise. Assaisonnez et mélangez.
3. Versez la préparation dans les blancs d'œufs durs et dégustez.

Œuf mimosa au jambon. ▶

MILLE-FEUILLES DE TOMATES à la mozarella

4,50 €

FACILE
1 PERS
P : 20 MIN
R : 4 H

150 CAL/P

USTENSILES
1 casserole
1 bol

- 1 tomate
- 2 feuilles de basilic
- 50 g de mozzarella
- 50 g de mesclun
- 2 cl de vinaigre balsamique
- Huile d'olive
- Sel, poivre

1. Lavez et ôter le pédoncule de la tomate. Plongez-la 10 s dans de l'eau bouillante, puis rafraîchissez-la. Pelez-la, puis coupez-la en rondelles.

2. Émincez finement le basilic. Coupez la mozzarella en rondelles.

3. Réalisez une vinaigrette en mélangeant le sel, le poivre, le vinaigre et l'huile d'olive.

4. Montez le mille-feuilles : mettez une tranche de tomate, assaisonnez, une tranche de mozzarella, le basilic, un filet d'huile d'olive et une autre tranche de tomate. Renouvelez l'opération.

5. Placez le mille-feuilles au réfrigérateur pendant 4 h.

6. Avant de servir, assaisonnez le mesclun avec la vinaigrette. Dressez-le tout sur les assiettes et servez.

ŒUF MIMOSA AU THON

0,80 €

FACILE
1 PERS
P : 5 MIN
C : 10 MIN

50 CAL/P

USTENSILES
1 casserole
1 passoire
1 saladier

- 1 œuf
- 1/4 de boîte de thon
- 1 c. à c. de mayonnaise
- 1 c. à c. de ketchup
- Sel, poivre

1. Faites bouillir de l'eau salée dans une casserole et ajoutez l'œuf. Laissez cuire 10 min à petite ébullition. Égouttez-le et refroidissez-le.

2. Écalez-le, coupez-le en deux, puis récupérez le jaune. Émiettez le thon. Écrasez le jaune à la fourchette, puis ajoutez le thon, le ketchup et la mayonnaise. Assaisonnez et mélangez.

3. Versez la préparation dans les blancs d'œufs durs et dégustez.

Œufs mimosa au thon. ▶

OMELETTE PLATE AU POIVRON

1,50 €

FACILE
1 PERS
P : 20 MIN
C : 15 MIN

320 CAL/P

USTENSILES
1 plat
1 saladier
1 poêle

- 1/2 poivron
- 1/2 oignon
- 2 œufs
- 5 cl de lait
- 1 c. à s. d'huile d'olive
- Sel, poivre

1. Lavez le poivron, mettez-le dans un plat sous le gril du four (retournez-le de temps en temps) jusqu'à ce que la peau devienne noire.
2. Enfermez-le quelques minutes dans un sac en plastique alimentaire, puis pelez-le, épépinez-le et découpez-le en lanières.
3. Pelez l'oignon et coupez-le en rondelles. Battez les œufs avec le lait.
4. Dans une poêle (qui peut passer au four), faites revenir les rondelles d'oignons et les lanières de poivrons dans l'huile d'olive pendant 10 min.
5. Ajoutez les œufs battus et remuez vivement avec une fourchette pendant 1 min sur feu vif.
6. Cuisez encore 5 min dans un four chaud à 180° (thermostat 6) et servez immédiatement.

OMELETTE À LA CIBOULETTE

0,60 €

FACILE
1 PERS
P : 5 MIN
C : 2 MIN

70 CAL/P

USTENSILES
1 saladier
1 fouet
1 poêle

- 2 œufs
- 2 tiges de ciboulette
- 1 noix de beurre
- Sel, poivre

1. Hachez la ciboulette. Cassez les œufs dans un saladier, ajoutez la ciboulette, assaisonnez, et fouettez à la fourchette ou au fouet.
2. Faites fondre la noix de beurre dans une poêle et versez le mélange. Remuez délicatement à l'aide d'une fourchette jusqu'à ce que l'omelette soit cuite.
3. Pour les grandes faims, comptez trois œufs par personnes.

Omelette plate aux poivrons. ▶

OMELETTE AU JAMBON et au fromage

1,20 €

FACILE
1 PERS
P : 5 MIN
C : 2 MIN

110 CAL/P

USTENSILES
1 saladier
1 fouet
1 poêle

- 2 œufs
- 1/2 tranche de jambon blanc
- 20 g de gruyère râpé
- 1 noix de beurre
- Sel, poivre

1. Coupez le jambon blanc en petits dés. Cassez les œufs dans un saladier, ajoutez le jambon et le gruyère, assaisonnez et fouettez à l'aide d'une fourchette ou d'un fouet.

2. Faites fondre la noix de beurre dans une poêle et versez la préparation. À l'aide d'une fourchette, remuez délicatement jusqu'à ce que l'omelette soit cuite.

SALADE DE JEUNES POUSSES d'épinards

4,20 €

FACILE
1 PERS
P : 20 MIN

360 CAL/P

USTENSILES
1 essoreuse
1 poêle
1 saladier

- 100 g de jeunes pousses d'épinards
- 50 g de feta
- 20 g de pignons de pin
- 1/4 de concombre
- 4 c. à s. d'huile d'olive
- 1 c. à s. de vinaigre balsamique
- Sel, poivre

1. Lavez et essorez les pousses d'épinards.

2. Grillez les pignons de pin à sec dans une poêle antiadhésive.

3. Coupez la feta en dés et le concombre en rondelles.

4. Mélangez tous les ingrédients, assaisonnez et servez.

Salade de jeunes pousses d'épinards. ▶

OMELETTE AUX POMMES DE TERRE

0,80 €

FACILE
1 PERS
P : 10 MIN
C : 20 MIN

100 CAL/P

USTENSILES
1 économe
1 casserole
1 passoire
1 saladier
1 fouet
1 poêle

- 2 œufs
- 1 pomme de terre
- 1 pincée de persil
- 15 g de beurre
- 1 filet d'huile
- Sel, poivre

1. Épluchez et coupez les pommes de terre en petits cubes. Mettez-les dans une casserole avec de l'eau froide et du sel. Portez le tout à ébullition et laissez bouillir 3 min. Égouttez-les.

2. Faites chauffer une poêle avec un filet d'huile et une noix de beurre. Puis ajoutez les pommes de terre. Assaisonnez, couvrez et laissez cuire 10 min environ en mélangeant de temps en temps. Dès que les pommes de terre sont cuites, ajoutez le persil et laissez le tout dans la poêle.

3. Cassez les œufs dans un saladier, assaisonnez et fouettez à la fourchette ou au fouet.

4. Ajoutez une noix de beurre dans la poêle et refaites chauffer les pommes de terre rapidement et à feu vif. Versez les œufs dessus. Mélangez délicatement à la fourchette jusqu'à ce que l'omelette soit cuite.

GRATIN DE PÂTES AU THON

3,10 €

FACILE
1 PERS
P : 20 MIN
C : 35 MIN

570 CAL/P

USTENSILES
1 casserole
1 passoire
1 saladier
1 plat creux

- 80 g de coquillettes
- 1/4 d'une boîte de thon au naturel
- 1 tomate
- 1/2 oignon
- 30 g de gruyère râpé
- Sel, poivre

1. Portez à ébullition une grande quantité d'eau salée, puis faites-y cuire les pâtes (environ 7 min).

2. Incisez la peau de la tomate en croix puis plongez-la dans une casserole d'eau bouillante pendant 2 min, passez-la sous l'eau froide et pelez-la. Coupez ensuite la tomate en deux, enlevez les pépins, puis détaillez la chair en petits cubes.

3. Pelez et hachez l'oignon. Égouttez le thon et émiettez-le.

4. Mélangez les coquillettes avec la tomate, le thon et l'oignon, puis assaisonnez.

5. Mettez le mélange dans un plat à gratin beurré et saupoudrez de gruyère. Enfournez dans un four chaud à 180° (thermostat 6) pendant 30 min.

Gratin de pâtes au thon. ▶

SALADE D'ENDIVES AU BLEU

1,90 €

FACILE
1 PERS
P : 15 MIN

100 CAL/P

USTENSILES
1 bol
1 saladier

- 2 endives
- 30 g de bleu
- Quelques cerneaux de noix ou des raisins secs
- 1 c. à s. de moutarde
- 3 c. à s. de vinaigre de vin rouge
- 9 c. à s. d'huile
- Sel, poivre

1. Pour la vinaigrette : mélangez la moutarde avec le vinaigre et assaisonnez. Puis ajoutez progressivement l'huile en mélangeant. Ajoutez les noix ou les raisins.

2. Coupez le trognon des endives, lavez-les, et égouttez-les. Coupez-les en deux, enlevez le cœur, puis émincez-les.

3. Coupez le bleu en petits dés. Mélangez-les aux endives. Puis ajoutez une partie de la vinaigrette. Mélangez et dégustez.

COURGETTE FARCIE AU THON

2,10 €

FACILE
1 PERS
P : 15 MIN
C : 15 MIN

240 CAL/P

USTENSILES
1 casserole
1 saladier
1 plat creux

- 1 courgette ronde
- 100 g de thon au naturel
- 1 tomate
- 1/2 oignon
- 1/2 gousse d'ail
- 2 feuilles de basilic
- 1 c. à s. d'huile d'olive
- Sel, poivre

1. Coupez un chapeau sur le dessus de la courgette et évidez-la en prenant soin de garder 5 mm de chair sur le pourtour.

2. Ébouillantez la tomate pendant 2 min, passez-la sous l'eau froide et pelez-la. Coupez-la en deux, enlevez les pépins et détaillez la chair en petits dés.

3. Pelez et hachez l'oignon et l'ail. Triez, lavez et hachez le basilic.

4. Égouttez le thon et mélangez-le avec les dés de tomates, l'oignon, l'ail, le basilic et l'huile d'olive ; assaisonnez.

5. Garnissez la courgette avec la préparation.

6. Déposez la courgette dans un plat allant au four, ajoutez 2 cuillères à soupe d'eau et faites cuire pendant 35 min à 180º (thermostat 6).

Courgettes farcies au thon. ▶

SALADE AUX LARDONS

2,90 €/p

Facile
1 pers
P : 10 min
C : 5 min

120 cal/p

Ustensiles
1 bol
1 essoreuse
1 poêle

- 1 salade frisée
- 80 g de lardons
- 4 cl de vinaigre de vin rouge
- 1 c. à s. de moutarde
- 3 c. à s. de vinaigre de vin rouge
- 9 c. à s. d'huile
- 1 noix de beurre
- Sel, poivre

1. Pour la vinaigrette : mélangez la moutarde avec le vinaigre et assaisonnez. Puis ajoutez progressivement l'huile en mélangeant.
2. Coupez le trognon de la salade et effeuillez-la. Lavez-la, égouttez-la et récupérez 1/3 de la salade. Gardez le reste pour une autre recette.
3. Assaisonnez-la avec une partie de la vinaigrette.
4. Faites chauffer une poêle avec une noix de beurre. Puis ajoutez les lardons. Laissez cuire 2 min et versez les 4 cl de vinaigre de vin. Laissez cuire 1 min et disposez les lardons sur la salade.
5. Vous pouvez ajouter des œufs durs.

PAPILLOTE DE SAUMON
au jambon cru

5 €

Facile
1 pers
P : 15 min
C : 10 min

400 cal/p

Ustensiles
Ficelle
1 plat
1 feuille de papier sulfurisé

- 1 pavé de saumon
- 1 tranche de jambon cru
- 1 petite branche de thym
- 1 feuille de laurier
- Sel, poivre

1. Salez et poivrez le pavé de saumon.
2. Déposez sur le poisson une feuille de laurier et une branche de thym.
3. Enroulez le pavé dans une tranche de jambon cru et liez le tout avec de la ficelle de cuisine.
4. Réalisez la papillote en déposant le poisson sur une feuille de papier sulfurisé, puis fermez hermétiquement.
5. Déposez la papillote dans un plat et faires cuire au four à 200° (thermostat 7) pendant 10 min.

Papillote de saumon au jambon cru. ▶

PURÉE DE POMMES DE TERRE et carottes

2,10 €

FACILE
1 PERS
P : 15 MIN
C : 40 MIN

160 CAL/P

USTENSILES
1 économe
2 casseroles
1 passoire
1 presse-purée

- 3 grosses pommes de terre
- 4 carottes
- 20 g de beurre
- 15 cl de lait
- 1 pincée de muscade
- Sel, poivre

1. Épluchez les pommes de terre et coupez-les en morceaux. Épluchez les carottes et coupez-les en rondelles.

2. Placez les pommes de terre et les carottes dans une casserole avec de l'eau froide et du sel. Portez à ébullition et laissez cuire 40 min environ. Égouttez bien et passez au presse-purée.

3. Faites bouillir le lait avec le beurre, assaisonnez et ajoutez la muscade. Versez le tout sur la purée, mélangez bien et servez.

PAPILLOTE DE FILET DE POULET à l'asiatique

3,40 €

FACILE
1 PERS
P : 75 MIN
C : 30 À 35 MIN
M : 1 H

130 CAL/P

USTENSILES
1 saladier
1 feuille aluminium
1 plat

- 1 filet de poulet
- 1 tige de citronnelle
- 1 c. à s. de sauce soja
- 1 c. à c. d'huile de sésame grillé
- 1 pincée de purée de piment rouge

1. Dans un saladier, mélangez la sauce soja, l'huile de sésame et la purée de piment.

2. Ajoutez le filet de poulet, couvrez avec du film plastique et laissez mariner pendant au moins 1 h.

3. Enlevez les feuilles extérieures de la citronnelle et hachez-la très finement.

4. Réalisez la papillote en déposant sur une feuille de papier aluminium un peu de citronnelle hachée, le filet de poulet, puis le reste de citronnelle.

5. Fermez hermétiquement, déposez la papillote dans un plat et faites cuire au four à 200° (thermostat 7) pendant 30 à 35 min.

Purée de pommes de terre et carottes. ▶

Émincé de porc à l'indienne

3,90 €

FACILE
1 PERS
P : 20 MIN
C : 25 MIN

620 CAL/P

Ustensiles
1 économe
1 casserole

- 1 tranche d'échine de porc (longe)
- 1 c. à s. d'huile d'olive
- 1/2 échalote hachée
- 1/2 oignon haché
- 1/2 pomme
- 1/2 banane
- 1 petite carotte
- 50 g de sauce tomate
- 10 cl de fond de veau lié
- 1 c. à c. de curry
- Sel, poivre

Épluchez la carotte, la pomme et la banane. Émincez la carotte, coupez la pomme et la banane en morceaux.

Découpez la viande de porc en lanières. Faites-les revenir à l'huile d'olive jusqu'à coloration des morceaux, puis ajoutez l'échalote et l'oignon haché, la carotte, la pomme, la banane, et poursuivez la cuisson 2 min.

Ajoutez le fond de veau, la sauce tomate, le curry, salez et poivrez. Laissez cuire pendant 20 min environ. Vérifiez l'assaisonnement et servez.

Poulet au curry

2,30 €

FACILE
1 PERS
P : 15 MIN
C : 10 MIN

130 CAL/P

Ustensiles
1 poêle

- 1 escalope de poulet
- 1 c. à s. de coulis de tomates
- 10 cl de crème
- 1 filet d'huile
- 1 noix de beurre
- 1 pincée de curry
- Sel, poivre

Coupez l'escalope en petits morceaux.

Faites chauffer une poêle avec un filet d'huile et une noix de beurre. Puis ajoutez les morceaux de poulet. Assaisonnez et faites-les cuire 3 min en les retournant.

Ajoutez le curry et le coulis de tomates. Laissez cuire 3 min, puis incorporez la crème. Faites bouillir 2 min et dégustez.

Poulet au curry. ▶

SOUPE DE COURGETTES

au fromage à tartiner

1,20 €

FACILE
1 PERS
P : 15 MIN
C : 40 MIN

30 CAL/P

USTENSILES
1 casserole
1 mixeur

- 1 courgette
- 1/2 oignon
- 1 carré de fromage à tartiner
- 1 branche de thym
- 1 feuille de laurier
- 1 filet d'huile
- Sel, poivre

1. Épluchez l'oignon et émincez-le.
2. Lavez la courgette, enlevez l'extrémité, essuyez-la et coupez-la en rondelles.
3. Faites chauffer une casserole avec l'huile. Ajoutez l'oignons et les rondelles de courgettes. Assaisonnez et laissez cuire 5 min. Puis mettez de l'eau à hauteur, les herbes, et laissez cuire 35 min à petits bouillons.
4. Retirez les herbes, puis mixez en ajoutant le fromage.

ÉMINCÉ DE DINDE AU MIEL

en salade

3,30 €

FACILE
1 PERS
P : 20 MIN
C : 10 MIN
M : 15 MIN

170 CAL/P

USTENSILES
1 essoreuse
1 saladier
1 poêle

- 4 feuilles de salade (feuille de chêne)
- 1 escalope de dinde
- 1 c. à c. de miel
- 1/2 jus de citron
- 1 c. à s. de pignons de pin
- 1 tomate
- 1/2 oignon rouge
- Sel, poivre

1. Triez et lavez la salade. Émincez l'oignon et coupez la tomate en quartiers (pour la décoration).
2. Émincez l'escalope et faites mariner les lanières avec le miel et le citron. Réservez-les au frais pendant 15 min.
3. Dans une poêle, faites revenir les lanières de dinde jusqu'à caramélisation, puis réservez au frais.
4. Mettez la salade en dôme au centre de l'assiette, déposez les lanières de dinde dessus, les pignons, l'oignon, les quartiers de tomates et servez.

Émincé de dinde au miel en salade. ▶

ÉMINCÉ DE POULET CHASSEUR

4 €

FACILE
1 PERS
P : 20 MIN
C : 10 MIN

260 CAL/P

USTENSILES
1 casserole

- 1 filet de poulet
- 1 c. à c. de farine
- 1 échalote
- 1/2 petite boîte de champignons de Paris
- 2 cl de vin blanc
- 20 cl de fond brun de veau lié
- 10 g de beurre
- 1 c. à s. d'huile d'olive
- 2 c. à s. d'estragon haché
- 2 c. à s. de cerfeuil haché
- Sel, poivre

1. Coupez le filet de poulet en lanières.
2. Égouttez-les champignons. Pelez et hachez l'échalote.
3. Dans une casserole, faites revenir dans l'huile les lanières de poulet jusqu'à coloration. Réservez.
4. Faites suer dans le beurre les champignons pendant 1 à 2 min. Ajoutez l'échalote et prolongez la cuisson 1 min
5. Versez la farine, remuez.
6. Ajoutez le vin blanc et le fond de veau, laissez réduire quelques minutes, puis salez et poivrez.
7. Saupoudrez d'estragon et de cerfeuil, ajoutez les lanières de poulet à la sauce et faites cuire de 5 à 6 min.

POMME DE TERRE AU FOUR

1,40 €

FACILE
1 PERS
P : 10 MIN
C : 40 MIN

380 CAL/P

USTENSILES
1 bol

- 2 grosses pommes de terre
- 1 c. à s. de crème épaisse
- 1 petite branche de thym
- 1 tige de ciboulette
- 1 filet d'huile d'olive
- Sel, poivre

1. Lavez les pommes de terre.
2. Posez sur une feuille d'aluminium une branche de thym, sel, poivre et un filet d'huile. Ajoutez la pomme de terre et repliez le tout.
3. Enfournez à 180° (thermostat 6) pendant 40 min environ.
4. Émincez la tige de ciboulette et mélangez-la avec la crème. Assaisonnez.
5. Sortez les pommes de terre, coupez-les en deux et déposez dessus 1 cuillère à soupe de crème.

Pomme de terre au four. ▶

ENTRECÔTE À L'ÉCHALOTE

4,80 €

FACILE
1 PERS
P : 5 MIN
C : 5 MIN

740 CAL/P

Ustensiles
1 poêle

- 1 entrecôte de 200 g
- 1 échalote émincée
- Huile
- Beurre
- 5 cl de vin rouge
- Sel, poivre

1. Assaisonnez l'entrecôte.
2. Dans une poêle, faites chauffer l'huile et le beurre. Dès que le beurre est de couleur noisette, faites cuire l'entrecôte 2 min de chaque côté.
3. Déposez l'entrecôte sur une assiette.
4. Ajoutez une noix de beurre dans la poêle et faites sauter l'échalote pendant 2 min.
5. Ajoutez le vin rouge, faites bouillir 2 min, assaisonnez et versez sur l'entrecôte.

ESCALOPES DE POULET
au basilic

4,20 €

FACILE
1 PERS
P : 5 MIN
C : 5 MIN

420 CAL/P

Ustensiles
3 assiettes creuses
1 fouet
1 poêle

- 1 tranche de jambon de Parme
- 1 escalope de poulet très fine
- 2 feuilles de basilic émincées
- 2 c. à s. de farine
- 5 cl de vin blanc
- 1 œuf
- 2 c. à s. de chapelure
- Huile d'olive
- Sel, poivre

1. Mélangez la chapelure avec le basilic, le sel et le poivre.
2. Dans 3 assiettes creuses, mettez la farine, les œufs battus avec une pointe d'eau et la chapelure.
3. Trempez l'escalopes de poulet successivement dans la farine, les œufs et la chapelure.
4. Poêlez l'escalope 2 min de chaque côté, ajoutez la tranche de jambon sur celle-ci et mettez sur assiette.
5. Sur le feu, versez le vin blanc dans la poêle et remuez en grattant bien le fond pour libérer les sucs. Laissez cuire 2 min et servez avec un plat de haricots verts.

Entrecôtes aux échalotes. ▶

ESCALOPE DE VEAU GRATINÉE au parmesan

4,10 €

FACILE
1 PERS
P : 5 MIN
C : 8 MIN

430 CAL/P

USTENSILES
1 économe
1 poêle
1 plat creux

- 1 escalope de veau
- 20 g de parmesan
- 1 tranche de jambon de Parme
- 4 c. à s. de crème fraîche
- 1 noix de beurre

1. Réalisez des copeaux de parmesan à l'aide d'un économe ou achetez du parmesan râpé.
2. Dans une poêle, faites colorer l'escalope de veau au beurre.
3. Posez-la dans un plat allant au four et recouvrez-la de la tranche de jambon de Parme.
4. Ajoutez une cuillère de crème fraîche, parsemez de copeaux de parmesan et faites gratiner pendant 5 min au four à 180° (thermostat 6).
5. Servez avec des spaghetti.

POULET AUX CHAMPIGNONS

2,40 €

FACILE
1 PERS
P : 15 MIN
C : 10 MIN

150 CAL/P

USTENSILES
1 passoire
1 poêle

- 1 escalope de poulet
- 1 boîte de champignons de Paris émincés
- 10 cl de crème
- 1 filet d'huile
- 1 noix de beurre
- Sel, poivre

1. Égouttez les champignons de Paris.
2. Coupez l'escalope en petits morceaux.
3. Faites chauffer une poêle avec un filet d'huile et une noix de beurre. Puis ajoutez les morceaux de poulet. Assaisonnez et faites-les cuire 3 min en les retournant. Ajoutez les champignons. Laissez cuire 3 min.
4. Incorporez la crème. Faites bouillir 2 min et dégustez.

Poulet aux champignons. ▶

ESCALOPE DE VEAU à la milanaise

2,30 €

FACILE
1 PERS
P : 15 MIN
C : 6 MIN

570 CAL/P

USTENSILES
3 assiettes creuses
1 fouet
Piques en bois
1 poêle

- 1 escalope de veau
- 2 c. à s. de chapelure
- 20 g de parmesan
- 2 c. à s. de farine
- 1 œuf
- 1 citron
- 3 filets d'anchois
- 3 olives noires
- Huile, beurre
- Sel, poivre

1. Battez l'œuf avec une pointe d'eau.
2. Mettez la farine, l'œuf battu et la chapelure dans 3 assiettes. Ajoutez le parmesan à la chapelure. Assaisonnez l'escalope et trempez-la successivement dans les 3 assiettes. Respectez bien l'ordre.
3. Enroulez chaque olive d'un filet d'anchois et piquez-la avec une pique en bois pour faire tenir l'anchois. Coupez le citron en quartiers.
4. Dans une poêle, faites fondre le beurre avec l'huile et déposez-y l'escalope panée. Laissez colorer doucement 3 min de chaque côté.
5. Dressez-la sur une assiette, ajoutez le beurre de cuisson, un quartier de citron et les olives roulées aux anchois.

POULET À LA MOUTARDE

2,20 €

FACILE
1 PERS
P : 15 MIN
C : 6 MIN

130 CAL/P

USTENSILES
1 poêle

- 1 escalope de poulet
- 1 c. à c. de moutarde
- 10 cl de crème
- 1 filet d'huile
- 1 noix de beurre
- Sel, poivre

1. Coupez l'escalope en petits morceaux.
2. Faites chauffer une poêle avec un filet d'huile et une noix de beurre. Puis ajoutez les morceaux de poulet. Assaisonnez et faites-les cuire 3 min en les retournant.
3. Ajoutez la moutarde. Laissez cuire 1 min, puis incorporez la crème. Faites bouillir 2 min et dégustez.

Poulet à la moutarde. ▶

GUACAMOLE

5,50 €

FACILE
4 PERS
P : 20 MIN

350 CAL/P

USTENSILES
1 mixeur
1 casserole
1 bol

- 4 avocats
- 1 oignon rouge
- 1 gousse d'ail
- 1 tomate
- 1 jus de citron vert
- 1 c. à s. d'huile d'olive
- 1/2 piment vert (facultatif)
- 1 paquet de tortillas

1. Épluchez et hachez l'oignon et l'ail. Pelez les avocats et enlevez le noyau central.

2. Avec un couteau pointu, incisez la peau de la tomate en croix, puis plongez-la dans une casserole d'eau bouillante pendant 15 s. Passez-la sous l'eau froide et pelez-la. Coupez la tomate en deux, enlevez les pépins et coupez la chair en dés.

3. Passez les avocats, l'huile d'olive, l'ail et le jus de citron vert au mixeur. Mélangez la purée d'avocats à l'oignon haché, au piment et aux dés de tomate et servez dans un bol avec les tortillas à part.

CAKE AUX LARDONS

6,20 €

FACILE
1 CAKE
P : 10 MIN
C : 40 MIN

1 240 CAL/P

USTENSILES
1 poêle
1 fouet
1 saladier
1 moule à cake
1 cuillère en bois
1 couteau

- 3 œufs
- 180 g de farine
- 200 g de lardons fumés
- 150 g de gruyère râpé
- 1 sachet de levure chimique
- 10 cl de lait
- 10 cl d'huile
- 1 noix de beurre

1. Faites chauffer une poêle et mettez les lardons à cuire 2 min, puis à refroidir.

2. Fouettez les œufs, ajoutez la farine et la levure petit à petit. Mélangez bien et ajoutez le lait et l'huile. Mélangez. Ajoutez le gruyère et les lardons. Mélangez. Laissez la pâte 1 h au réfrigérateur.

3. Beurrez votre moule à cake et versez-y la pâte.

4. Enfournez à 180° (thermostat 6) pendant 40 min environ.

5. Piquez le cœur du cake avec une lame de couteau. Si la lame ressort sèche, le cake est cuit.

Guacamole. ▶

CAKE AUX OLIVES

5,90 €

FACILE
1 CAKE
P : 40 MIN
C : 45 À 50 MIN

1 560 CAL/P

USTENSILES
1 saladier
1 fouet
1 moule à cake

3 œufs
180 g de farine
1 sachet de levure
120 g de gruyère râpé
100 g d'olives vertes
50 g d'olives noires
10 cl d'huile d'olive
10 cl de lait
1 c. à c. de feuilles de thym
Beurre pour le moule
Sel, poivre

1. Dans un saladier, battez au fouet les œufs entiers avec le sel, le poivre et le thym.
2. Ajoutez la farine et la levure, puis incorporez doucement l'huile et le lait.
3. Ajoutez les olives dénoyautées et le gruyère râpé à la pâte.
4. Beurrez et farinez le moule à cake et versez-y la pâte.
5. Faites cuire au four chaud à 180° (thermostat 6) pendant 45 à 50 min (la lame d'un couteau plantée dans le cake doit en ressortir propre).

CAKE AUX BLANCS DE VOLAILLE

et à l'estragon

7,90 €

FACILE
1 CAKE
P : 10 MIN
C : 1 H

910 CAL/P

USTENSILES
1 moule à cake
1 poêle
1 saladier
1 fouet

3 œufs
200 g de farine
1 sachet de levure
10 cl d'huile de tournesol
10 cl de lait
75 g de gruyère râpé
1 filet de poulet
1 filet de dinde
1 c. à s. de moutarde
5 cl de vin blanc
1 bouquet d'estragon haché
Beurre pour le moule
Sel, poivre

1. Détaillez les filets de volaille en fines lanières et faites-les revenir dans une poêle pendant 5 min.
2. Ajoutez le vin blanc et la moutarde et laissez cuire à feu doux pendant encore 5 min.
3. Dans un saladier, battez au fouet les œufs entiers avec le sel et le poivre.
4. Ajoutez la farine et la levure, puis incorporez doucement l'huile et le lait.
5. Ajoutez l'estragon et le gruyère râpé à la pâte.
6. Beurrez et farinez le moule à cake et versez-y la moitié de la préparation. Déposez au milieu les filets de volaille et recouvrez de pâte.
7. Faites cuire au four chaud à 180° (thermostat 6) pendant 45 à 50 min (la lame d'un couteau plantée dans le cake doit en ressortir propre).

Cake aux olives. ▶

CAKE AU SAUMON FUMÉ et à l'aneth

11,30 €

Facile
1 cake
P : 30 min
C : 45 à 50 min

980 cal/p

Ustensiles
1 moule à cake
1 saladier
1 fouet

- 3 œufs
- 180 g de farine
- 1 sachet de levure
- 10 cl d'huile de tournesol
- 10 cl de lait
- 75 g de gruyère râpé
- 150 g de saumon fumé
- 1 bouquet d'aneth
- 1 c. à s. de baies roses
- Beurre pour le moule
- Sel, poivre

1. Coupez le saumon fumé en petits dés. Triez, lavez et hachez l'aneth.
2. Dans un saladier, battez au fouet les œufs entiers avec le sel et le poivre.
3. Ajoutez la farine et la levure, puis incorporez doucement l'huile et le lait.
4. Ajoutez le saumon fumé, l'aneth, le gruyère et les baies roses à la pâte.
5. Beurrez et farinez le moule à cake et versez-y la préparation.
6. Faites cuire au four chaud à 180° (thermostat 6) pendant 45 à 50 min (la lame d'un couteau plantée dans le cake doit en ressortir propre).

TARTE AU THON

6,50 €

Facile
4-6 pers
P : 15 min
C : 30 min

1 250 cal/p

Ustensiles
1 moule à tarte (ø 28 cm)
1 passoire

- 1 rouleau de pâte feuilletée
- 1 grosse boîte de thon
- 3 tomates
- 4 c. à s. de moutarde
- 4 c. à s. de crème
- 1 noix de beurre
- Sel, poivre

1. Beurrez un moule à tarte et déroulez la pâte dedans. Tartinez le fond avec la moutarde.
2. Égouttez le thon et émiettez-le sur la tarte.
3. Lavez les tomates et coupez-les en rondelles. Répartissez-les sur le thon. Assaisonnez le tout, ajoutez le filet de crème.
4. Enfournez à 200° (thermostat 7) pendant 30 min environ.

Cake au saumon fumé et aneth. ▶

TARTE À L'OIGNON

5,60 €

FACILE
4 PERS
P : 10 MIN
C : 40 MIN

530 CAL/P

USTENSILES
1 moule
à cake
1 casserole

- 1 rouleau de pâte brisée
- 8 oignons
- 1 œuf
- 20 cl de lait
- 50 g de pain rassi
- 1 noix de beurre
- Sel, poivre

1. Étalez la pâte brisée sur le plan de travail, beurrez un moule à tarte et foncez-le avec la pâte.
2. Épluchez et émincez les oignons. Faites tremper le pain dans le lait.
3. Dans une poêle, faites revenir les oignons au beurre pendant 5 min, puis ajoutez le pain, l'œuf et assaisonnez.
4. Laissez compoter 5 min, puis versez la préparation dans le moule et enfournez dans un four chaud à 180° (thermostat 6) pendant 25 min environ.
5. Vous pouvez parsemer le dessus de la tarte de fromage râpé avant de la cuire.

CLAFOUTIS AU BLEU ET AU CANTAL

5,50 €

FACILE
1 CLAFOUTIS
P : 20 MIN
C : 30 MIN

1 200 CAL/P

USTENSILES
2 saladiers
1 fouet
1 plat creux

- 50 cl de lait
- 150 g de farine
- 50 g de poudre d'amandes
- 3 œufs
- 100 g de bleu
- 100 g de cantal
- Sel, poivre

1. Versez la farine et la poudre d'amandes dans un saladier. Séparez les blancs des jaunes.
2. Mélangez la farine et le lait en remuant constamment avec un fouet, ajoutez les jaunes d'œufs, puis assaisonnez.
3. Montez les blancs en neige et incorporez-les délicatement à votre pâte.
4. Coupez le bleu et le cantal en dés, que vous répartissez au fond d'un plat beurré.
5. Assaisonnez et versez la pâte à clafoutis.
6. Faites cuire dans un four chaud à 180° (thermostat 6) pendant 30 min Dégustez tiède.

Clafoutis au bleu et au cantal. ▶

TIAN DE COURGETTES

4,20 €

FACILE
4 PERS
P : 20 MIN
C : 45 MIN

170 CAL/P

USTENSILES
1 plat creux

- 4 courgettes longues
- 4 ou 6 tomates selon la grosseur
- 4 c. à s. d'huile d'olive
- 2 c. à s. d'herbes de Provence
- Sel, poivre

1. Lavez les courgettes et les tomates sans les peler, puis coupez-les en rondelles de 5 mm d'épaisseur.
2. Dans un plat allant au four, disposez les rondelles de tomates et de courgettes en les alternants.
3. Salez et poivrez, saupoudrez d'herbes de Provence et arrosez avec l'huile d'olive.
4. Cuisez au four chaud à 150° (thermostat 5) pendant 45 min.

TARTE MERGUEZ ET RATATOUILLE

6,70 €

FACILE
6 PERS
P : 15 MIN
C : 30 MIN

450 CAL/P

USTENSILES
1 moule à tarte (ø 28 cm)
1 saladier

- 1 rouleau de pâte brisée
- 1 noix de beurre
- 400 g de ratatouille cuite
- 150 g de ricotta
- 1 c. à c. de coriandre hachée
- 4 merguez
- Sel, poivre

1. Étalez la pâte et piquez-la régulièrement à l'aide d'une fourchette. Beurrez un moule à tarte et déposez-y la pâte. Recouvrez-la d'un papier sulfurisé, mettez un poids par-dessus (haricots secs) puis enfournez dans un four chaud à 200° (thermostat 7) pendant 8 min.
2. Retirez le poids et le papier sulfurisé, puis poursuivez la cuisson 3 min. Sortez le moule du four et laissez refroidir.
3. Mélangez la ricotta avec la coriandre, assaisonnez et nappez le fond de la tarte de la préparation. Recouvrez de ratatouille.
4. Coupez les merguez en rondelles et ajoutez-les sur la tarte, puis enfournez dans un four chaud à 180° (thermostat 6) pendant 15 min.

Tian de courgettes. ▶

BOULGHOUR AUX ABRICOTS SECS

5,60 €

FACILE
6 PERS
P : 15 MIN
C : 20 MIN

540 CAL/P

USTENSILES
1 casserole
1 passoire
1 cocotte ou 1 grande casserole

- 500 g de boulghour
- 1 oignon haché
- 1,25 litre de bouillon de volaille
- 1 c. à s. de sauce de soja
- 40 g d'abricots secs moelleux, coupés en dés
- 1 carotte coupée en dés
- 1 navet coupé en dés
- 1 courgette
- Beurre
- Sel, poivre

1. Récupérez le vert de la courgette et coupez-le en petits cubes.
2. Faites cuire les légumes séparément à l'eau bouillante salée et rafraîchissez-les. Ils doivent être légèrement croquants.
3. Pelez et hachez l'oignon, puis faites fondre le beurre dans une cocotte et faites-y revenir l'oignon.
4. Ajoutez le boulghour et mélangez bien.
5. Mouillez avec le bouillon de volaille, assaisonnez et ajoutez la sauce de soja. Couvrez et laissez cuire 12 min.
6. Ajoutez les dés de légumes et les abricots secs, mélangez bien et servez.

SALADE DE MELON

au jambon de pays

4,60 €

FACILE
4 PERS
P : 15 MIN

120 CAL/P

USTENSILES
1 saladier

- 1 melon
- 4 tranches de jambon de pays

1. Coupez le melon en deux. Enlevez les pépins et coupez la chair en dés ou en petites boules à l'aide d'une cuillère creuse.
2. Coupez le jambon en lanières et mélangez-le avec le melon.
3. Laissez 1 h au réfrigérateur avant de déguster.

Boulghour aux abricots secs. ▶

PISSALADIÈRE

5,60 €

Assez facile
4 pers
P : 20 min
C : 55 min

530 cal/p

Ustensiles
1 casserole
1 plaque allant au four

- 1 rouleau de pâte à pizza (ou de pâte à pain)
- 2 kg d'oignons
- 12 filets d'anchois à l'huile
- 150 g d'olives noires
- 6 c. à s. d'huile d'olive
- Sel, poivre

1. Pelez et coupez les oignons en rondelles.
2. Dans une poêle, faites cuire les oignons à feu doux dans l'huile d'olive sans qu'ils prennent de couleur pendant 30 min, puis assaisonnez.
3. Étalez la pâte et versez dessus les oignons.
4. Disposez les filets d'anchois et parsemez d'olives noires.
5. Cuisez dans un four chaud à 180° (thermostat 6) pendant 25 min environ.

QUICHE LORRAINE

7,10 €

Facile
4-6 pers
P : 15 min
C : 30 min

1 250 cal/p

Ustensiles
1 moule à tarte (ø 28 cm)
1 casserole
1 passoire
1 saladier
1 fouet

- 1 fond de tarte brisée
- 2 œufs
- 2 jaunes d'œuf
- 200 g de lardons
- 25 cl de crème
- 25 cl de lait
- 60 g de gruyère râpé
- 1 pincée de muscade
- 1 noix de beurre
- Sel, poivre

1. Beurrez un moule à tarte et disposez la pâte en appuyant sur les bords.
2. Mettez les lardons dans une casserole avec de l'eau froide et portez à ébullition. Égouttez-les et laissez-les refroidir.
3. Cassez les œufs et les jaunes dans un saladier, puis mélangez-les avec le lait et la crème. Assaisonnez et ajoutez la muscade.
4. Mettez les lardons sur la pâte. Puis versez le mélange. Saupoudrez de gruyère râpé.
5. Enfournez à 200° (thermostat 7) pendant 30 min environ.

Quiche lorraine. ▶

RIZ CANTONNAIS

5,30 €

FACILE
4 PERS
P : 10 MIN
C : 15 MIN

440 CAL/P

Ustensiles
1 saladier
1 fouet
1 poêle
1 casserole
+ couvercle

- 300 g de riz
- 3 œufs
- 100 g de petits pois
- 2 tranches de jambon blanc
- 1 noix de beurre
- 1 filet d'huile
- 1 bouillon cube
- Sel, poivre

1. Cassez les œufs dans un saladier, assaisonnez-les et fouettez-les.

2. Faites fondre la noix de beurre dans une poêle et versez les œufs. Mélangez délicatement à l'aide d'une fourchette jusqu'à ce que l'omelette soit cuite. Posez-la sur une assiette.

3. Coupez le jambon en petits dés. Faites chauffer un filet d'huile dans une casserole puis ajoutez le jambon et les petits pois. Laissez cuire 1 min et incorporez le riz.

4. Ajoutez le bouillon cube et une fois et demie le volume du riz en eau. Assaisonnez, couvrez et laissez cuire 8 min. Éteignez le feu et maintenez couvert 5 min.

5. Coupez l'omelette en petits cubes et incorporez-les au riz. Mélangez et dégustez.

QUICHE AUX POIREAUX

5,20 €/P

FACILE
4-6 PERS
P : 15 MIN
C : 30 MIN

1 700 CAL/P

Ustensiles
1 moule
à tarte
(ø 28 cm)
1 casserole
+ couvercle
1 passoire
1 saladier
1 fouet

- 1 fond de tarte brisée
- 3 poireaux
- 2 œufs
- 2 jaunes
- 25 cl de crème
- 25 cl de lait
- 1 pincée de muscade
- 1 noix de beurre
- Sel, poivre

1. Beurrez un moule à tarte et disposez la pâte en appuyant sur les bords.

2. Enlevez le vert des poireaux et le pied. Ouvrez-les en deux et lavez-les. Puis émincez-les. Mettez-les dans une casserole avec un fond d'eau, assaisonnez. Couvrez et laissez cuire 5 min. Puis égouttez-les et laissez-les refroidir.

3. Cassez et battez les œufs et les jaunes dans un saladier, puis ajoutez le lait et la crème et mélangez bien. Assaisonnez et ajoutez la muscade.

4. Répartissez les poireaux sur la pâte. Puis versez le mélange dessus. Saupoudrez de gruyère.

5. Enfournez à 200° (thermostat 7) pendant 30 min environ.

Riz cantonnais. ▶

TOMATES FARCIES

4,90 €/P

FACILE
4 PERS
P : 10 MIN
C : 1 H

470 CAL/P

USTENSILES
1 plat creux
1 couteau à dents

- 4 grosses tomates
- 200 g de chair à saucisses
- 150 g de riz
- 1 filet d'huile d'olive
- Sel, poivre

1. Coupez le haut des tomates, réservez-le, et évidez-les avec une cuillère. Récupérez l'intérieur dans un bol.

2. Mettez le riz dans un plat, ajoutez l'intérieur des tomates, sel, poivre et un filet d'huile d'olive. Mélangez bien. Puis ajoutez de l'eau à hauteur.

3. Assaisonnez les tomates et remplissez-les de chair à saucisses. Remettez le chapeau dessus et posez-les sur le riz.

4. Enfournez le plat 1 h environ à 170° (thermostat 6).

5. Rajoutez un peu d'eau pendant la cuisson si nécessaire.

TOMATES PROVENÇALES

1,90 €/P

FACILE
4 PERS
P : 10 MIN
C : 10 MIN

170 CAL/P

USTENSILES
1 plat
1 bol

- 4 tomates
- 12 tiges de persil
- 1 gousse d'ail
- 50 g de chapelure
- 5 cl d'huile d'olive
- Sel, poivre

1. Lavez les tomates et coupez-les en deux. Assaisonnez-les et posez-les sur un plat huilé.

2. Hachez la gousse d'ail. Lavez et équeutez le persil, hachez-le finement. Mélangez-le avec l'ail, la chapelure, l'huile, et assaisonnez.

3. Recouvrez les tomates de ce mélange et enfournez à 190° (thermostat 6) pendant 8 à 10 min.

Tomates farcies. ▶

BROCOLIS AU BACON

2,50 €

Facile
4 pers
P : 10 min
C : 20 min

150 cal/p

Ustensiles
1 casserole
1 poêle

- 1 brocoli
- 8 tranches de bacon
- 20 g de beurre
- Sel, poivre

1. Détaillez le brocoli en petits bouquets et lavez-les.

2. Faites bouillir de l'eau avec du sel, puis ajoutez les bouquets de brocoli. Laissez cuire 10-15 min. Piquez-les avec un couteau pour vérifier la cuisson. Ils doivent être tendres. Égouttez-les.

3. Faites fondre le beurre dans une poêle et ajoutez le bacon. Laissez cuire 1 min et incorporez les brocolis. Laissez cuire 2-3 min et dégustez.

ENDIVES AU JAMBON

5,80 €

Facile
4 pers
P : 15 min
C : 1 h

420 cal/p

Ustensiles
1 casserole + couvercle
1 casserole
1 fouet
1 plat creux

- 4 belles endives
- 4 tranches de jambon
- 50 cl de lait
- 30 g de beurre
- 30 g de farine
- 1 pincée de muscade
- 1 noix de beurre
- Sel, poivre

1. Ôtez le pied des endives. Mettez-les dans une casserole avec de l'eau à mi-hauteur et une noix de beurre. Assaisonnez, couvrez et laissez cuire 30-40 min environ. Égouttez-les et pressez-les un peu.

2. Faites fondre le beurre dans une casserole et ajoutez la farine. Mélangez bien au fouet, puis versez le lait froid en fouettant toujours. Ajoutez sel, poivre et muscade. Faites bouillir la béchamel en mélangeant bien. Puis laissez-la refroidir.

3. Entourez chaque endive d'une tranche de jambon et posez-les sur un plat beurré. Nappez-les de béchamel.

4. Enfournez à 190° (thermostat 6) pendant 15 min environ.

Endives au jambon. ►

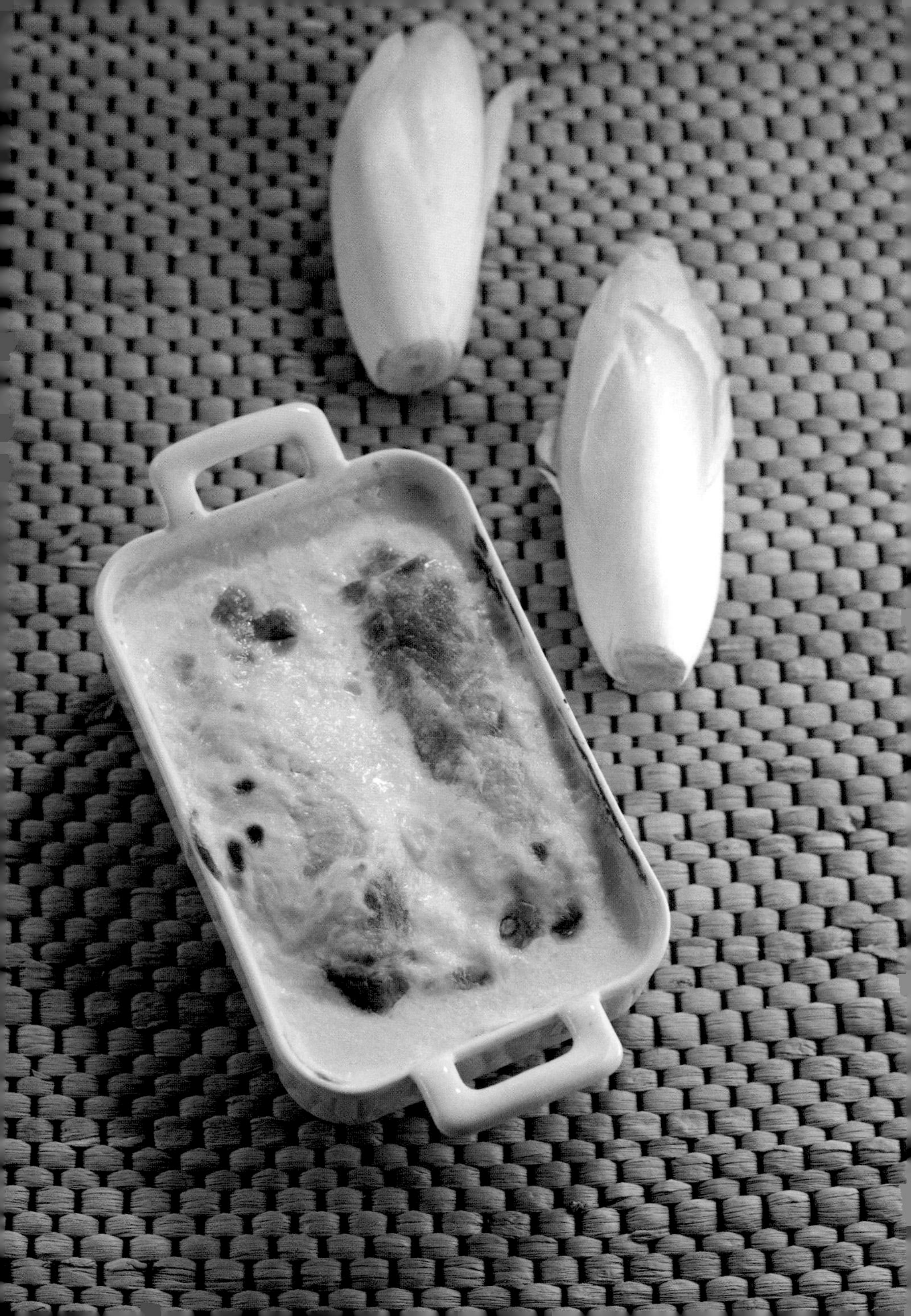

SPAGHETTI À LA NAPOLITAINE

4,80 €

FACILE
4 PERS
P : 10 MIN
C : 15 MIN

660 CAL/P

USTENSILES
1 poêle
1 casserole
1 passoire
1 plat creux

- 500 g de spaghetti
- 2 filets de blancs de volaille
- 1 gousse d'ail
- 40 cl de sauce tomate
- Huile d'olive
- Sel, sucre, poivre

1. Coupez les blancs de volaille en lanières puis faites-les colorer dans une poêle à l'huile d'olive et réservez.
2. Pelez et hachez la gousse d'ail.
3. Faites chauffer la sauce tomate avec l'ail, rectifiez l'assaisonnement avec sel, sucre et poivre si nécessaire.
4. Ajoutez les lanières de volaille et laissez cuire 5 min.
5. Faites cuire les spaghetti à l'eau bouillante salée pendant environ 7 min.
6. Égouttez-les et mettez-les dans un plat creux. Versez la sauce napolitaine par-dessus.

SPAGHETTI À LA BOLOGNAISE

5,80 €

FACILE
4 PERS
P : 10 MIN
C : 20 MIN

680 CAL/P

USTENSILES
1 poêle
1 casserole
1 passoire

- 350 g de spaghetti
- 1 pot de sauce tomate
- 3 steaks hachés
- 1 filet d'huile
- 1 noix de beurre
- Sel, poivre

1. Coupez les steaks hachés en petits morceaux. Assaisonnez-les.
2. Faites chauffer une poêle avec un filet d'huile et une noix de beurre. Puis ajoutez les petits morceaux de viande. Laissez cuire 5 min en les retournant de temps en temps.
3. Incorporez la sauce tomate et laissez cuire tout doucement pendant 10 min. Rajoutez un peu d'eau si la sauce est trop épaisse.
4. Faites cuire les pâtes, départ eau bouillante salée, al dente. Égouttez-les.
5. Ajoutez la sauce bolognaise et dégustez.

Spaghetti à la bolognaise. ▶

GRATIN DE PÂTES

2 €

FACILE
4 PERS
P : 10 MIN
C : 30 MIN

230 CAL/P

Ustensiles
1 grande casserole
1 passoire
1 petite casserole
1 fouet
1 plat creux

- 80 g de macaronis
- 1/2 tranche de jambon
- 25 cl de lait
- 15 g de beurre
- 15 g de farine
- 25 g de gruyère râpé
- 1 pincée de muscade
- 1 noix de beurre
- Sel, poivre

1. Faites cuire les pâtes départ eau bouillante salée pendant 8-9 min. Égouttez-les.

2. Faites fondre le beurre dans une casserole et ajoutez la farine. Mélangez avec un fouet, puis versez le lait froid en fouettant bien. Ajoutez sel, poivre et muscade. Faites bouillir la béchamel en mélangeant toujours.

3. Coupez le jambon en petits dés. Ajoutez-les aux pâtes.

4. Beurrez un plat creux et versez le mélange pâtes-jambon. Répartissez la béchamel dessus. Mélangez un peu. Saupoudrez de gruyère râpé et enfournez à 200° (thermostat 7) pendant 20 min environ.

GRATIN DE PÂTES
aux saucisses de Strasbourg

3,70 €

FACILE
4 PERS
P : 10 MIN
C : 30 MIN

590 CAL/P

Ustensiles
2 casseroles
1 passoire
1 fouet
1 plat creux

- 300 g de macaronis
- 4 saucisses de Strasbourg
- 50 cl de lait
- 30 g de beurre
- 30 g de farine
- 1 pincée de muscade
- 1 noix de beurre
- Sel, poivre

1. Faites cuire les pâtes départ eau bouillante salée pendant 8-9 min. Égouttez-les.

2. Faites fondre le beurre dans une casserole et ajoutez la farine. Mélangez bien avec un fouet, puis versez le lait froid doucement, en fouettant toujours. Ajoutez sel, poivre et muscade. Faites bouillir la béchamel en mélangeant sans arrêt.

3. Coupez les saucisses en petites rondelles. Ajoutez-les aux pâtes.

4. Beurrez un plat creux et mettez-y le mélange pâtes-saucisses. Versez la béchamel dessus. Mélangez un peu.

5. Enfournez à 200° (thermostat 7) pendant 20 min environ.

Gratin de pâtes. ▶

Ah !!
des
pâtes.....

GRATIN DAUPHINOIS

4,30 €

FACILE
4 PERS
P : 15 MIN
C : 1 H 30

520 CAL/P

USTENSILES
1 casserole
1 économe
1 plat creux

- 1 kg de pommes de terre
- 75 cl de lait
- 25 cl de crème
- 1 gousse d'ail
- 1 pincée de muscade
- Sel, poivre

1. Hachez la gousse d'ail. Faites bouillir le lait et la crème avec l'ail, la muscade, et assaisonnez.
2. Lavez et épluchez les pommes de terre. Coupez-les en fines rondelles.
3. Beurrez un plat creux et répartissez les rondelles de pommes de terre.
4. Versez le mélange dessus.
5. Enfournez à 180° (thermostat 6) pendant 1 h 30 environ. Vérifiez la cuisson en piquant le gratin avec une fourchette. Dégustez chaud.

GRATIN DE COURGETTES
à la tomate

5,30 €

FACILE
4 PERS
P : 10 MIN
C : 25 MIN

100 CAL/P

USTENSILES
1 plat creux

- 3 courgettes
- 1 oignon
- 50 cl de coulis de tomates
- 1 pincée de sucre
- 1 pincée d'herbes de Provence
- 1 filet d'huile d'olive
- Sel, poivre

1. Assaisonnez le coulis de tomates et ajoutez le sucre et les herbes de Provence.
2. Ôtez les extrémités des courgettes, lavez-les et coupez-les en rondelles fines.
3. Épluchez l'oignon et émincez-le.
4. Mettez un filet d'huile d'olive dans un plat creux. Ajoutez les courgettes et l'oignon. Assaisonnez et mélangez. Puis versez la sauce tomate dessus.
5. Enfournez à 180° (thermostat 6) pendant 25 min environ.

Gratin dauphinois. ▶

PÂTES À LA CARBONARA

6,40 €

FACILE
4 PERS
P : 10 MIN
C : 8 MIN

910 CAL/P

USTENSILES
2 casseroles
1 passoire
1 saladier
1 fouet

- 500 g de pâtes fraîches
- 150 g de lardons
- 4 œufs
- 1 oignon
- 1 filet d'huile
- Sel, poivre

1 Hachez l'oignon. Dans une casserole, faites-le revenir à l'huile pendant 2-3 min et ajoutez les lardons. Laissez cuire tout doucement pendant 5 min.

2 Faites cuire les pâtes fraîches départ eau bouillante salée pendant 2-3 min. Égouttez-les.

3 Cassez les œufs dans un saladier, assaisonnez et fouettez jusqu'à ce qu'ils moussent.

4 Ajoutez les pâtes aux lardons, mélangez. Puis versez les œufs battus. Arrêtez le feu et mélangez énergiquement.

COQUILLETTES AU CHORIZO

4,10 €

FACILE
4 PERS
P : 10 MIN
C : 12 MIN

520 CAL/P

USTENSILES
1 passoire
1 casserole

- 400 g de coquillettes
- 1/2 chorizo
- 1 boîte de champignons de Paris
- 1 noix de beurre
- Sel, poivre

1 Égouttez les champignons. Ôtez la peau du chorizo et coupez-le en petits morceaux.

2 Faites cuire les pâtes, départ eau bouillante salée, al dente. Égouttez-les.

3 Faites fondre une noix de beurre dans une casserole et ajoutez les champignons et le chorizo. Laissez cuire 3 min en mélangeant. Ajoutez les pâtes, mélangez et dégustez.

Pâtes à la carbonara. ▶

HACHIS PARMENTIER

5,70 €

FACILE
4 PERS
P : 15 MIN
C : 20 MIN

940 CAL/P

USTENSILES
1 casserole
1 poêle

- 2 sachets de purée de pommes de terre en flocons
- 3 steaks hachés
- Lait
- 50 g de gruyère râpé
- 1 filet d'huile
- 20 g de beurre
- Sel, poivre

1. Préparez la purée en suivant les indications sur le paquet.
2. Coupez les steaks hachés en petits morceaux et assaisonnez. Faites chauffer une poêle avec un filet d'huile et une noix de beurre et ajoutez la viande. Laissez cuire 2-3 min en mélangeant.
3. Beurrez un plat creux et disposez une couche de purée. Ajoutez la viande et recouvrez de purée. Saupoudrez de gruyère.
4. Enfournez à 200° (thermostat 7) pendant 20 min.

JAMBON GRILLÉ
et son œuf au plat au bacon

6 €

FACILE
6 PERS
P : 5 MIN
C : 5 MIN

490 CAL/P

USTENSILES
3 grandes poêles

- 6 tranches de jambon blanc
- 6 œufs
- 3 tomates
- 3 tranches de bacon hachées
- Beurre
- Sel, poivre
- 1 pincée d'herbes de Provence

1. Coupez les tranches de bacon en petits cubes.
2. Lavez et ôtez le pédoncule des tomates, puis coupez-les en 8 quartiers.
3. Faites fondre du beurre dans plusieurs poêles et faites colorer le jambon 1 min de chaque côté.
4. Posez sur chaque tranche 4 quartiers de tomates aux extrémités. Cassez un œuf au centre, parsemez de bacon et d'herbes de Provence.
5. Assaisonnez et enfournez 2 min à 190° (thermostat 6). Servez avec une salade.

Jambon grillé et son œuf au plat au bacon. ▶

CÔTES DE PORC DE CÉDRIC

8,20 €

FACILE
6 PERS
P : 15 MIN
C : 10 MIN

840 CAL/P

USTENSILES
1 poêle
1 plat creux

- 6 côtes de porc
- 25 cl de béchamel froide
- 2 tranches de jambon
- 30 g de gruyère
- Huile, beurre
- Sel, poivre

1. Assaisonnez les côtes de porc.
2. Faites chauffer une poêle avec huile et beurre, et faites-y colorer d'un côté les côtes de porc.
3. Posez-les sur un plat beurré côté non coloré.
4. Coupez les tranches de jambon en quatre et posez-les sur la viande.
5. Ajoutez un peu de béchamel par-dessus et parsemez de gruyère.
6. Faites gratiner au four à 180° (thermostat 6) pendant 8 min.

ESCALOPES DE DINDE PANÉES

7,30 €

FACILE
4 PERS
P : 15 MIN
C : 6 MIN

540 CAL/P

USTENSILES
3 bols
1 fouet
1 poêle

- 4 escalopes de dinde
- 200 g de chapelure
- 3 œufs
- 10 cl de lait
- 100 g de farine
- 1 jus de citron
- 1 filet d'huile
- 1 noix de beurre
- Sel, poivre

1. Prévoyez trois bols : dans un, mettez la farine ; dans l'autre, la chapelure ; cassez les œufs dans le troisième, fouettez-les avec le lait.
2. Assaisonnez les escalopes de dinde. Trempez-les dans la farine, puis dans les œufs battus et enfin dans la chapelure.
3. Faites chauffer une poêle avec un filet d'huile et une noix de beurre. Puis ajoutez les escalopes panées. Faites-les cuire 3 min de chaque côté à feu moyen. Arrosez-les de jus de citron et dégustez.

Côtes de porc de Cédric. ▶

PAPILLOTE DE COLIN AUX HERBES

5,70 €

FACILE
4 PERS
P : 10 MIN
C : 8 À 10 MIN

130 CAL/P

USTENSILES
4 feuilles d'aluminium

- 4 filets de colin
- 4 petites branches de thym
- 4 petites feuilles de laurier
- 1 tomate
- 1 citron
- Sel, poivre

1. Lavez la tomate et le citron et coupez-les en quartiers.

2. Étalez les quatre feuilles d'aluminium. Posez sur chacune un filet de colin, une branche de thym, une feuille de laurier, un quartier de citron et deux quartiers de tomate. Assaisonnez et repliez la feuille en deux. Fermez bien les bords.

3. Posez les papillotes dans un four chaud à 200° (thermostat 7) et laissez cuire 8-10 min.

4. Dès que les papillotes ont gonflé, le poisson est cuit.

FEUILLETÉ À LA VIANDE

6 €

FACILE
4 PERS
P : 15 MIN
C : 20 MIN

490 CAL/P

USTENSILES
1 saladier

- 1 rouleau de pâte feuilletée
- 3 steaks hachés
- 30 g de gruyère râpé
- 1 œuf battu
- 1/2 oignon
- 1 pincée d'herbes de Provence
- Sel, poivre

1. Hachez l'oignon. Écrasez les steaks dans un saladier et ajoutez l'œuf battu, l'oignon, les herbes, le gruyère. Assaisonnez et mélangez.

2. Étalez la pâte feuilletée. Piquez la moitié de la pâte avec une fourchette et posez la farce sur cette partie. Humidifiez les bords avec de l'eau. Repliez le reste de pâte par-dessus et soudez bien les bords.

3. Enfournez à 200° (thermostat 7) pendant 15 min.

Feuilleté à la viande. ▶

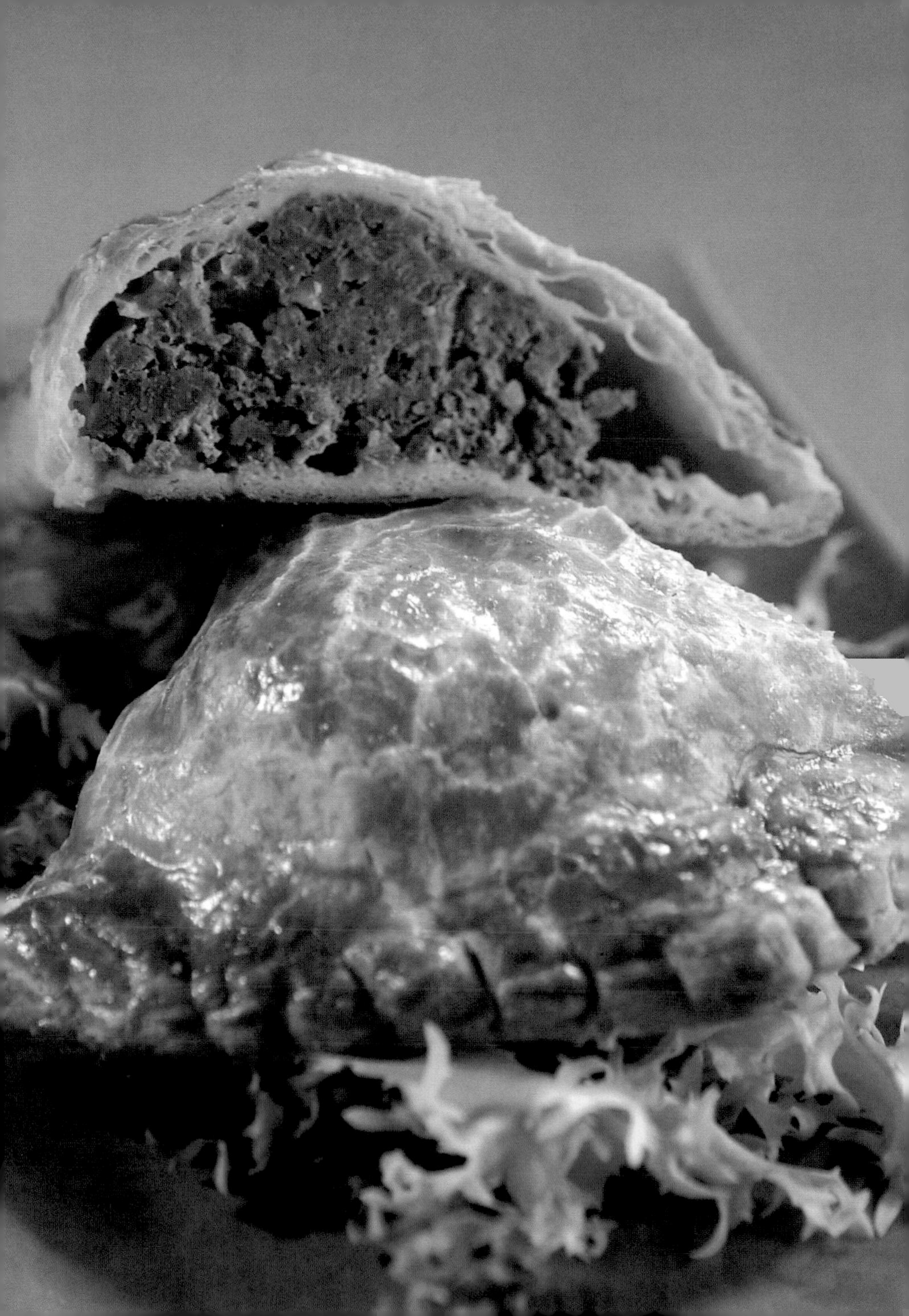

Œufs brouillés

au saumon fumé et aux tomates confites

8,10 €

ASSEZ FACILE
6 PERS
P : 15 MIN
C : 5 MIN

450 CAL/P

Ustensiles
1 saladier
1 fouet
1 casserole

- 12 œufs
- 6 tranches de saumon fumé
- 30 g de tomates confites
- 15 cl de crème
- Beurre
- Sel, poivre

1. Coupez le saumon en lanières.
2. Battez les œufs à l'aide d'un fouet et assaisonnez (ne salez pas trop, car le saumon fumé sert aussi d'assaisonnement).
3. Coupez les tomates confites en lanières. Dans une sauteuse, faites fondre le beurre, puis versez les œufs et mélangez bien.
4. Dès que le mélange a épaissi, versez la crème, le saumon fumé et les tomates confites. Mélangez bien et laissez épaissir 1 min.
5. Servez avec une petite salade d'herbes.

Tomates en fraîcheur

d'amandine et son gaspacho

7,20 €

ASSEZ FACILE
6 PERS
P : 20 MIN
R : 1 H

180 CAL/P

Ustensiles
1 mixeur
1 chinois
1 saladier

- 6 belles tomates
- 1/2 de concombre
- 1 oignon émincé
- 1 gousse d'ail hachée
- 3 gouttes de Tabasco
- 300 g de fromage de chèvre frais
- 10 olives noires coupées en dés
- 5 feuilles de basilic émincées
- Huile d'olive
- Sel, poivre

1. Coupez un chapeau du côté du pédoncule des tomates et videz-les à l'aide d'une cuillère. Assaisonnez-les et retournez-les. Réservez.
2. Épluchez et émincez le concombre.
3. Mixez la pulpe de tomates, l'oignon, l'ail, le demi-concombre et le Tabasco. Assaisonnez et passez le jus au chinois. Réservez le gaspacho au réfrigérateur.
4. Malaxez le fromage avec les olives et le basilic. Ajoutez un filet d'huile d'olive, assaisonnez.
5. Essuyez l'intérieur des tomates et remplissez-les avec la préparation au fromage. Remettez le chapeau par-dessus et gardez 1 h au réfrigérateur.
6. Servez les tomates avec leur petit verre de gaspacho.

Tomates en fraîcheur d'amandine et son gaspacho. ▶

TARTARE DE COURGETTES

4,20 €

ASSEZ FACILE
4 PERS
P : 15 MIN

300 CAL/P

USTENSILES
1 saladier
1 casserole
4 ramequins

- 3 courgettes longues
- 2 tomates
- 100 g d'olives noires
- 2 c. à s. de pesto
- 4 filets d'anchois
- 4 cuillères d'huile d'olive
- 1 bouquet de ciboulette
- Sel, poivre

1. Lavez et pelez les courgettes. Coupez-les en deux dans la longueur, ôtez les graines, puis coupez-les en tout petits cubes.

2. Avec un couteau pointu, incisez la peau des tomates en croix puis plongez-les dans une casserole d'eau bouillante pendant 30 min Passez-les sous l'eau froide puis pelez-les. Coupez les tomates en deux, enlevez les pépins et hachez la chair.

3. Dénoyautez les olives et hachez-les.

4. Mélangez tous ces éléments avec l'huile d'olive, le pesto et la ciboulette hachée.

5. Moulez les tartares dans des ramequins, retournez-les dans des assiettes et décorez avec un filet d'anchois. Dégustez très frais.

RÂPÉE DE POMMES DE TERRE

2,70 €

ASSEZ FACILE
4 PERS
P : 15 MIN
C : 15 MIN

80 CAL/P

USTENSILES
1 économe
1 grande poêle
1 assiette

- 250 g de pommes de terre 'Charlotte'
- 1 gousse d'ail
- 1 c. à c. de farine
- 1 petit oignon
- 1 c. à c. d'huile
- 1 c. à s. de persil plat haché
- Sel, poivre

1. Épluchez les pommes de terre, lavez-les et râpez-les sur une grosse râpe. Pelez l'ail et l'oignon, hachez-les finement.

2. Mélangez l'ail, l'oignon, le persil et la farine avec les pommes de terre. Salez et poivrez.

3. Faites chauffer l'huile dans une grande poêle à revêtement antiadhésif, sur feu vif. Versez-y la préparation et tassez-la en l'égalisant pour qu'elle ait la même épaisseur partout.

4. Réduisez le feu, couvrez et laissez cuire 6 min.

5. Faites glisser la râpée sur une assiette, puis retournez-la dans la poêle. Couvrez et laissez cuire encore 6 min.

Tartare de courgettes. ▶

Carpaccio de Bresaola

aux poivrons rouges

15,60 €

Assez facile
4 pers
P : 15 min
R : 1 h

370 cal/p

Ustensiles
4 assiettes

- 350 g de Bresaola coupé en tranches fines (viande de bœuf séchée)
- 1 poivron
- 1 gousse d'ail hachée
- 30 g de copeaux de parmesan
- 1 citron confit
- 8 feuilles de basilic émincées
- 20 câpres
- Huile d'olive

1. Épluchez et épépinez le poivron. Coupez-le en petits dés. Coupez le citron confit en petits cubes.
2. Étalez les tranches de Bresaola bien à plat sur 4 assiettes. Parsemez de câpres, de basilic, d'ail, de dés de poivrons et de parmesan.
3. Arrosez d'un filet d'huile d'olive. Enveloppez les assiettes avec un film alimentaire et laissez 1 h au frais.

Pipe au pesto de roquette

5,10 €

Assez facile
4 pers
P : 15 min
C : 10 min

650 cal/p

Ustensiles
1 râpe
1 saladier
1 casserole
1 passoire

- 400 g de pipe
- 100 g de roquette
- 2 gousses d'ail
- 1 petit bouquet de persil
- 30 g de pignons de pin
- 50 g de parmesan
- 10 cl d'huile d'olive
- Sel, poivre

1. Triez, lavez et hachez le persil et la roquette. Épluchez et hachez l'ail.
2. Coupez en petits morceaux ou râpez le parmesan. Mélangez l'huile d'olive avec l'ail, les pignons de pin, le persil, la roquette hachée et le parmesan.
3. Cuisez les pâtes dans une grande quantité d'eau bouillante salée, égouttez-les, puis servez-les avec le pesto de roquette.

Pipe au pesto de roquette. ▶

SALADE DE BŒUF THAÏ

13,50 €

ASSEZ FACILE
4 PERS
P : 20 MIN
C : 5 MIN

340 CAL/P

USTENSILES
1 bol
1 grand saladier

- 4 faux-filets de 150 g
- 1/2 citron vert
- 1 c. à c. de piment de Cayenne
- 5 bins de coriandre
- 1 c. à s. d'huile de sésame rôti
- 200 g de pousses de soja
- 50 g de cacahuètes
- 1 c. à s. de sauce soja
- 1 c. à s. de miel

1. Poêlez le faux-filet bleu, puis détaillez-le en lanières.
2. Hachez la coriandre. Hachez les cacahuètes. Râpez le zeste du citron vert, puis pressez le jus.
3. Confectionnez la sauce avec le miel, le jus de citron, la sauce soja, l'huile de sésame rôti et le piment de Cayenne.
4. Mélangez les lanières de faux-filets et les pousses de soja, puis parsemez le tout de coriandre et de cacahuètes hachées, ainsi que du zeste de citron râpé.
5. Mélangez bien le tout, nappez de sauce, puis dégustez.

SALADE CROQUANTE

aux brocolis, magrets fumés et orange

7,50 €

ASSEZ FACILE
4 PERS
P : 20 MIN
C : 5 MIN

200 CAL/P

USTENSILES
1 poêle
1 bol

- 1 brocoli
- 1 magret de canard fumé
- 2 oranges
- 1 cl de vinaigre balsamique
- 4 cl d'huile d'olive
- Sel, poivre

1. Détachez à l'aide d'un couteau des petits bouquets de brocolis. Lavez-les et essuyez-les.
2. Dans une poêle, faites sauter les brocolis à l'huile d'olive pendant 5 min Ils doivent rester croquants.
3. Enlevez la moitié du gras du magret fumé, puis coupez le magret en fines tranches.
4. Épluchez 1 orange avec un couteau pour enlever la peau et le blanc, puis prélevez les segments. Pressez la seconde orange et récupérez le jus.
5. Dans un bol, mélangez le vinaigre avec le sel et le poivre, ajoutez le jus d'orange et montez à l'huile d'olive.
6. Disposez sur chaque assiette des bouquets de brocolis, des segments d'orange, des tranches de magrets fumés, et arrosez le tout avec la vinaigrette.

Salade croquante aux brocolis, magrets fumés et orange. ▶

HACHIS PROVENÇAL au chèvre frais

9,90 €

Assez facile
4 pers
P : 40 min
C : 55 min

390 cal/p

Ustensiles
2 cocottes
1 plat creux

- 5 blancs de poulet
- 1 boîte de tomates concassées
- 1 poivron
- 2 aubergines
- 2 courgettes
- 3 oignons
- 2 fromages de chèvre frais
- 1 c. à s. d'herbes de Provence
- 4 c. à s. d'huile d'olive
- Sel, poivre

1. Coupez les blancs de poulet en gros morceaux, puis faites-les revenir à la poêle dans 2 c. à s. d'huile d'olive pendant 2 min et assaisonnez.

2. Pelez et coupez les oignons en rondelles. Coupez les poivrons en petits morceaux. Pelez les aubergines et les courgettes, puis coupez-les en petits cubes.

3. À la poêle, faites revenir dans 2 c. à s. d'huile d'olive les oignons et les poivrons pendant 3 min, puis ajoutez les aubergines et les courgettes. Prolongez la cuisson pendant 10 min. Mélangez avec le concassé de tomates et assaisonnez.

4. Coupez les fromages de chèvre en deux disques.

5. Dans un plat à gratin beurré, déposez une couche de poulet, puis les légumes, recouvrez avec le fromage de chèvre et saupoudrez d'herbes de Provence.

6. Enfournez dans un four chaud à 180° (thermostat 6) pendant 45 min.

FEUILLETÉS DE SAUMON

5,40 €

Assez facile
4 pers
P : 15 min
C : 15 min

300 cal/p

Ustensiles
1 moule rond
1 plat creux

- 10 feuilles de brick
- 400 g de saumon
- 1 bouquet de basilic
- 1 œuf
- 10 cl de crème fraîche
- 1 c. à c. de curcuma
- Huile d'arachide
- Sel, poivre

1. Hachez le saumon et le basilic. Mélangez bien le saumon, la crème, le basilic, l'œuf et le curcuma, puis assaisonnez.

2. Huilez les deux faces de chaque feuille de brick.

3. Dans un moule huilé, déposez 4 feuilles dans le fond, puis étalez la moitié de la farce dessus.

4. Recouvrez avec 3 nouvelles feuilles, étalez le reste de la farce et finissez avec les 3 dernières feuilles.

5. Cuisez dans un four chaud à 180° (thermostat 6) pendant 15 min.

Hachis provençal au chèvre frais. ▶

CRUMBLE DE SAUMON

9,90 €

ASSEZ FACILE
4 PERS
P : 15 MIN
C : 20 MIN

1 000 CAL/P

USTENSILES
1 saladier
1 plat creux

- 800 g de filet de saumon sans peau
- 1 bouquet d'aneth
- 150 g de farine
- 50 g d'amandes en poudre
- 200 g de beurre
- Sel, poivre

1. Triez, lavez et hachez l'aneth.

2. Coupez le filet de saumon et détaillez-le en gros cubes, puis roulez ceux-ci dans l'aneth de façon à bien les enrober.

3. Dans un saladier, mélangez le beurre coupé en petits morceaux avec la farine et la poudre d'amandes. Travaillez du bout des doigts jusqu'à obtenir une pâte grumeleuse.

4. Versez les dés de saumon dans un plat à gratin, couvrez de pâte et cuisez dans un four chaud à 180° (thermostat 6) pendant20 min

TARTARE DE BŒUF

parfumé au basilic

13,20 €

ASSEZ FACILE
6 PERS
P : 15 MIN
R : 10 MIN

930 CAL/P

USTENSILES
1 saladier

- 1,2 kg de bœuf haché
- 2 oignons
- 6 jaunes d'œufs
- 2 c. à s. de ketchup
- 2 c. à s. de sauce Worcestershire
- 1 c. à s. de sauce de soja
- 10 cl de crème fraîche
- 10 feuilles de basilic
- 8 cornichons
- 8 câpres
- 1 c. à s. de moutarde à l'ancienne
- 1 filet d'huile d'olive
- 5 gouttes de Tabasco
- Sel, poivre

1. Pelez et hachez les oignons.

2. Hachez les câpres, coupez les cornichons en dés et émincez le basilic.

3. Dans un saladier, mélangez le bœuf haché avec tous les ingrédients.

4. Laissez reposer au frais 10 min, puis servez avec des frites et une salade verte.

Crumble de saumon. ▶

LASAGNES

5,20 €

ASSEZ FACILE
4 PERS
P : 20 MIN
C : 30 MIN

460 CAL/P

Ustensiles
1 casserole
1 cocotte
1 plat creux

- 9 feuilles de lasagne
- 50 g de gruyère
- 250 g de viande hachée
- 1 oignon haché
- 100 g de sauce tomate
- 50 cl de béchamel
- Huile d'olive
- Persil haché
- Sel, poivre
- Thym, laurier

1. Faites cuire les feuilles de lasagne sèches dans de l'eau bouillante salée pendant 3 min Égouttez-les et refroidissez-les.

2. Faites revenir les oignons à l'huile d'olive, ajoutez la viande hachée, laissez colorer. Ajoutez la sauce tomate, les herbes et laissez compoter 5 min.

3. Montez les lasagnes : beurrez un plat creux, mettez une feuille de lasagne, une couche de viande, une couche de béchamel et renouvelez l'opération jusqu'à épuisement des denrées.

4. Terminez par une feuille de lasagne, une couche fine de béchamel et saupoudrez de gruyère. Enfournez à 180° (thermostat 6) pendant 20 min environ. Servez avec une salade verte.

LASAGNES AU CHÈVRE
et aux épinards

7,60 €

ASSEZ FACILE
4 PERS
P : 20 MIN
C : 40 MIN

520 CAL/P

Ustensiles
1 poêle
1 casserole
1 fouet
1 plat creux

- 9 feuilles de lasagne
- 1 kg d'épinards frais
- 3 c. à s. d'huile d'olive
- 2 fromages de chèvre frais
- 100 g de raisins secs
- 50 cl de lait
- 30 g de farine
- 30 g de beurre
- Sel, poivre
- Muscade

1. Triez, lavez et équeutez les épinards, puis faites-les cuire dans l'huile d'olive pendant 10 min (il ne faut plus qu'il y ait d'eau), assaisonnez.

2. Préparez la béchamel en faisant fondre le beurre dans une casserole, ajoutez la farine et remuez sur un feu doux pendant 3 min, versez le lait et fouettez sur un feu vif jusqu'à ce que le mélange épaississe, assaisonnez.

3. Dans un plat à gratin huilé, déposez une couche de lasagne, les épinards avec les raisins secs, un fromage de chèvre coupé en tranches, puis répartissez dessus la béchamel, déposez une nouvelle couche de lasagne et terminez par des tranches de fromage de chèvre.

4. Cuisez dans un four chaud à 180° (thermostat 6) pendant 40 min.

Lasagnes au chèvre et aux épinards. ▶

RISOTTO DE POULET, chèvre et basilic

8,10 €

ASSEZ FACILE
4 PERS
P : 15 MIN
C : 40 MIN

420 CAL/P

USTENSILES
2 casseroles

- 220 g de riz spécial risotto
- 4 blancs de poulet
- 80 g de chèvre frais
- 1 oignon haché
- 10 cl de vin blanc
- 1 l de bouillon de volaille chaud
- 5 feuilles de basilic émincées
- 1 pincée de graines de sésame
- 1 noix de beurre
- 1 filet d'huile d'olive
- Sel, poivre

1. Coupez les blancs de poulet en cubes et faites-les revenir au beurre pendant 2 min, puis ajoutez les graines de sésame, versez le bouillon par-dessus et faites bouillir.

2. Malaxez le fromage de chèvre avec le basilic et assaisonnez-le. Réservez.

3. Dans une casserole, faites chauffer un filet d'huile d'olive et faites revenir l'oignon. Ajoutez le riz et mélangez 2 min sur le feu.

4. Mouillez avec le vin blanc, mélangez jusqu'à ce que le vin se soit évaporé.

5. Versez une louche de bouillon, mélangez jusqu'à absorption du liquide et renouvelez l'opération jusqu'à ce que le risotto soit cuit.

6. Ajoutez le fromage de chèvre au basilic et les cubes de poulet, mélangez bien. Rectifiez l'assaisonnement et répartissez dans les assiettes.

BAYALDI DE LÉGUMES ITALIENS

3,80 €

ASSEZ FACILE
4 PERS
P : 30 MIN
C : 1 H 10

130 CAL/P

USTENSILES
1 casserole
1 plat creux

- 5 oignons émincés
- 3 tomates
- 1 aubergine
- 2 courgettes
- Huile d'olive
- Thym, laurier
- Sel, poivre

1. Faites revenir les oignons à l'huile d'olive, ajoutez le thym et le laurier, assaisonnez. Couvrez et laissez cuire pendant 25 min Les oignons doivent être confits et translucides.

2. Émincez les tomates, les courgettes et les aubergines en tranches de 1 cm d'épaisseur. Mettez les oignons au fond d'un plat creux, disposez en alternant les légumes émincés par-dessus.

3. Laissez couler un filet d'huile d'olive, assaisonnez. Couvrez avec du papier d'aluminium. Percez-le un peu partout avec une fourchette.

4. Faites cuire au four à 170° (thermostat 6) pendant 45 min.

Risotto de poulet, chèvre et basilic. ▶

RISOTTO AUX COULEURS de Provence

10,80 €

ASSEZ FACILE
4 PERS
P : 25 MIN
C : 40 MIN

340 CAL/P

Ustensiles
1 casserole

- 150 g de riz spécial risotto
- 1 courgette
- 1 aubergine
- 1 poivron rouge
- 1 poivron jaune
- 1 gousse d'ail hachée
- 8 feuilles de basilic émincées
- 1 brin de thym
- 1 feuille de laurier
- 1 oignon haché
- 80 g de parmesan
- 2 c. à s. de mascarpone
- 10 cl de vin blanc
- 1 filet d'huile d'olive
- 1 l de bouillon de volaille chaud
- Sel, poivre

1. Lavez tous les légumes. Épépinez les poivrons et coupez-les en dés. Récupérez le vert de la courgette et coupez-le en dés. Coupez l'aubergine en petits cubes.

2. Dans une casserole, faites chauffer un filet d'huile d'olive et faites revenir l'oignon, l'ail et les légumes coupés en dés sauf la courgette. Ajoutez le riz et mélangez 2 min sur le feu.

3. Mouillez avec le vin blanc, mélangez jusqu'à ce que le liquide se soit évaporé.

4. Ajoutez les dés de courgette et versez une louche de bouillon, mélangez jusqu'à absorption du liquide et renouvelez l'opération jusqu'à ce que le risotto soit cuit.

5. Ajoutez le parmesan, le mascarpone et le basilic, mélangez bien. Rectifiez l'assaisonnement et répartissez dans les assiettes.

MOULES AU CURRY

7,20 €

ASSEZ FACILE
4 PERS
P : 15 MIN
C : 15 MIN

530 CAL/P

Ustensiles
1 cocotte
1 passoire
1 casserole
1 fouet

- 4 l de moules
- 25 cl de crème fraîche épaisse
- 1 c. à s. de curry
- 1 échalote
- 1 feuille de laurier
- 1 branche de thym
- 1 c. à s. de pastis
- 10 g de beurre
- 2 c. à s. de maïzena
- 15 cl de vin blanc

1. Lavez les moules.

2. Hachez l'échalote et faites-la revenir dans un fait-tout avec le beurre 2 min Ajoutez le vin, faites bouillir. Ajoutez le laurier, le thym, les moules, couvrez et faites cuire 5 min à feu vif, en remuant de temps en temps.

3. En fin de cuisson, ajoutez le pastis et flambez. Égouttez les moules en veillant à bien récupérer le jus de cuisson.

4. Portez à ébullition le jus de cuisson des moules et la crème, ajoutez le curry et liez avec de la maïzena diluée dans un peu d'eau.

5. Rajoutez les moules pour les réchauffer et servez.

Risotto aux couleurs de Provence. ▶

COUSCOUS AU POULET

et aux citrons confits

12,60 €

ASSEZ FACILE
4 PERS
P : 40 MIN
C : 1 H

860 CAL/P

USTENSILES
1 cocotte
1 saladier
1 casserole

- 400 g de semoule
- 5 + 4 c. à s. d'huile d'olive
- 100 g de beurre
- 100 g de raisins secs
- 1 poulet
- 2 citrons confits
- 4 courgettes
- 250 g de haricots plats
- 1 boîte de pois chiches
- 1 c. à c. de ras el hanout
- 1 c. à c. de curcuma

1. Découpez le poulet en morceaux, assaisonnez et faites-le revenir avec 4 c. à s. d'huile d'olive. Lorsqu'il est bien doré, couvrez d'eau, ajoutez les épices, et laissez mijoter à feu doux pendant 30 min.

2. Coupez les citrons confits en rondelles, lavez et coupez les courgettes en gros morceaux, puis équeutez les haricots et coupez-les en tronçons. Ajoutez les courgettes, les haricots, les rondelles de citron et les pois chiches dans la casserole du poulet et laissez mijoter à feu doux pendant 30 min.

3. Mettez à tremper les raisins secs dans de l'eau tiède.

4. Pour la semoule : mélangez la semoule avec 5 cuillères à soupe d'huile d'olive. Faites bouillir 40 cl d'eau et versez-la sur la semoule. Ajoutez les raisins et laissez gonfler 10 min à couvert. Puis égrénez la semoule avec une fourchette.

5. Servez la semoule et la viande avec le bouillon à part.

ESCALOPES DE POULET PANÉES

au pain d'épices

8,20 €

ASSEZ FACILE
4 PERS
P : 5 MIN
C : 10 MIN

960 CAL/P

USTENSILES
3 assiettes creuses
1 fouet
1 poêle

- 4 escalopes de poulet
- 3 tranches de pain d'épices
- 2 œufs
- 50 g de farine
- 50 g de beurre
- Sel, poivre

1. Enlevez la croûte du pain d'épices et hachez-le finement.

2. Aplatissez légèrement les escalopes de poulet.

3. Battez les œufs en omelette et assaisonnez-les.

4. Passez les escalopes dans la farine, dans les œufs, puis enrobez-les de pain d'épices.

5. Faites cuire les escalopes dans une poêle sur feu doux, 5 min par face.

Couscous au poulet et aux citrons confits. ▶

TRUITE AUX AMANDES

20,60 €

ASSEZ FACILE
4 PERS
P : 15 MIN
C : 15 MIN

560 CAL/P

Ustensiles
2 assiettes creuses
1 grande poêle
1 petite poêle

- 4 truites vidées d'environ 250 g chacune
- 75 g d'amandes effilées
- 1 jus de citron
- 20 cl de lait
- 80 g de beurre
- 3 c. à s. de farine
- Quelques brins de persil
- Sel, poivre

1. Rincez soigneusement les truites sous l'eau froide, grattez l'intérieur avec le manche d'une petite cuillère pour éliminer les caillots de sang et rincez-les de nouveau. Séchez-les dans du papier absorbant. Salez et poivrez l'intérieur.

2. Versez le lait dans une assiette creuse. Mettez la farine dans une assiette plate. Salez et poivrez la farine.

3. Passez les truites dans le lait puis dans la farine, et secouez-les pour faire tomber l'excédent.

4. Mettez la moitié du beurre à fondre dans une poêle. Lorsqu'il mousse, posez-y les truites et faites-les dorer 5 min de chaque côté.

5. Mettez le reste du beurre dans une petite poêle, faites-le fondre, ajoutez les amandes et laissez-les blondir doucement en les remuant délicatement.

6. Déposez les truites sur un plat chaud et parsemez-les d'amandes.

7. Versez le jus de citron dans la poêle où les amandes ont doré, salez et poivrez, grattez le fond du récipient avec une spatule et arrosez les truites de ce jus.

BROCHETTES DE THON
au romarin

15,10 €

ASSEZ FACILE
4 PERS
P : 20 MIN
C : 15 MIN

440 CAL/P

Ustensiles
Piques en bois
1 plat creux

- 4 pavés de thon
- 2 jus de citrons
- 2 tomates
- 1 bulbe de fenouil
- 2 branches de romarin
- 2 c. à s. d'huile d'olive
- Sel, poivre

1. Coupez le thon en gros cubes, arrosez-les de jus de citron et ajoutez le romarin, assaisonnez.

2. Coupez le fenouil en morceaux, les tomates en quartiers.

3. Piquez sur des brochettes des morceaux de thon en alternant avec des morceaux de fenouil et des quartiers de tomates.

4. Déposez les brochettes dans un plat et cuisez-les dans un four chaud à 180° (thermostat 6) pendant 15 min.

Brochettes de thon au romarin. ▶

COLIN AU POIREAU et aux agrumes

3,40 €

Assez facile
4 pers
P : 25 min
C : 15 min

250 cal/p

Ustensiles
1 casserole
1 poêle

- 4 filets de colin
- 2 oranges non traitées
- 1 poireau
- 1 citron
- 30 g d'échalotes
- 3 c. à s. d'huile d'olive
- Sel, poivre

1. Pelez les deux oranges à vif et détachez les quartiers en prenant soin d'ôter les petites peaux intermédiaires.
2. Pressez le citron. Pelez et hachez les échalotes. Nettoyez et émincez le poireau.
3. Dans une petite sauteuse, faites chauffer la moitié de l'huile d'olive et faites revenir les échalotes sans coloration.
4. Lorsqu'elles sont tendres, ajoutez le poireau et le jus de citron. Salez, poivrez et laissez mijoter 5 min sur feu doux avant d'ajouter les quartiers d'orange. Réservez au chaud.
5. Faites chauffer dans une poêle le reste d'huile d'olive et faites-y saisir les filets de colin 3 min de chaque côté.
6. Dressez les filets nappés de leur garniture et dégustez.

ÉMINCÉ DE CALMARS à l'américaine

14,40 €

Assez facile
4 pers
P : 15 min
C : 50 min

960 cal/p

Ustensiles
1 économe
1 cocotte

- 1 kg de calamars
- 30 g de beurre
- 1 échalote
- 1 oignon
- 2 gousses d'ail
- 1 carotte
- 3 cl de cognac
- 1 c. à s. de concentré de tomates
- 1 bouquet garni (persil, thym, laurier, céleri-branche)
- 15 cl de vin blanc
- Piment de Cayenne
- Sel, poivre

1. Nettoyez les calamars, coupez-les en anneaux. Épluchez l'échalote, l'oignon et l'ail. Hachez-les. Épluchez la carotte et coupez-la en rondelles.
2. Faites fondre le beurre et mettez l'échalote, l'oignon, l'ail et la carotte. Ajoutez les calamars. Faites saisir. Flambez avec le cognac.
3. Ajoutez le concentré de tomates, le vin blanc, le bouquet garni et un verre d'eau. Salez, poivrez et ajoutez une pointe de piment de Cayenne.
4. Faites cuire 50 min tout doucement. Vérifiez l'assaisonnement et servez.

Émincé de calmars à l'américaine. ▶

POULET BASQUAISE

16,60 €

ASSEZ FACILE
4 PERS
P : 20 MIN
C : 1 HN

830 CAL/P

USTENSILES
2 cocottes

- 1 poulet d'environ 1,5 kg, prêt à cuire
- 1 c. à s. de farine
- 2 oignons
- 2 gousses d'ail
- 2 poivrons
- 1 kg de tomates
- 1 tranche de 100 g de jambon de Bayonne
- 3 c. à s. d'huile d'olive
- 1 verre de vin blanc sec
- 1 bouquet garni
- Sel, poivre

1. Coupez le poulet en 8 morceaux et saupoudrez-les d'un peu de farine.

2. Pelez les oignons et l'ail. Hachez-les grossièrement. Coupez les poivrons en deux, enlevez les graines et les parties blanchâtres. Coupez la chair en gros dés. Pelez les tomates. Coupez-les en gros morceaux. Coupez le jambon en dés.

3. Faites chauffer la moitié de l'huile dans une cocotte et faites-y revenir les morceaux de poulet et les dés de jambon. Quand ils sont bien dorés, versez le vin blanc et ajoutez le bouquet garni.

4. Amenez à ébullition et laissez bouillir sur feu vif, de 2 à 3 min Baissez le feu et laissez mijoter pendant 20 min.

5. Faites chauffer le reste de l'huile dans une sauteuse et faites-y revenir le hachis d'oignon et d'ail. Ajoutez les poivrons et les tomates. Salez et poivrez. Couvrez et laissez cuire pendant 20 min.

6. Versez la fondue de légumes dans la cocotte et poursuivez la cuisson pendant 20 min Enlevez le bouquet garni et versez les légumes dans le plat de service. Disposez dessus les morceaux de poulet.

GAMBAS ÉPICÉES

17,20 €

ASSEZ FACILE
4 PERS
P : 10 MIN
C : 5 MIN

130 CAL/P

USTENSILES
1 poêle

- 20 gambas
- 3 gousses d'ail
- 1 c. à c. de cumin en poudre
- 1 c. à c. de gingembre en poudre
- 1 c. à c. de paprika
- 1 pincée de piment d'Espelette
- 1 bouquet de coriandre
- Sel

1. Triez, lavez et hachez la coriandre. Pelez et écrasez les gousses d'ail. Décortiquez les gambas.

2. Dans une poêle, faites revenir l'ail dans l'huile d'olive pendant 2 min, puis ajoutez les épices. Poursuivez la cuisson pendant encore 1 min.

3. Ajoutez les gambas, laissez cuire à feu vif pendant 2 min, puis dégustez.

Gambas épicées. ▶

RÔTI DE DINDE AU CITRON
et pommes fondantes

10,50 €

Assez facile
4 pers
P : 15 min
C : 50 min

310 cal/p

Ustensiles
1 cocotte
1 économe

- 1 rôti de dinde
- 5 grosses pommes de terre
- 1 citron
- 1 oignon
- 20 g de beurre
- 1 branche de thym
- 1 feuille de laurier
- 20 cl de fond de volaille
- Sel, poivre

1. Épluchez et coupez l'oignon en rondelles. Épluchez et coupez en deux les pommes de terre. Coupez le citron en rondelles fines.
2. Dans une cocotte, faites colorer le rôti de dinde sur toutes ses faces dans le beurre, ajoutez l'oignon et le citron, et faites cuire 5 min.
3. Ajoutez le thym, le laurier les pommes de terre, le fond de volaille, assaisonnez, faites cuire à couvert et à petit feu pendant 45 min.

RÔTI DE PORC À LA SAUGE

17 €

Assez facile
4 pers
P : 20 min
C : 50 min

630 cal/p

Ustensiles
1 économe
Ficelle de cuisine
1 cocotte

- 1 rôti de porc d'environ 1 kg
- 4 gousses d'ail
- 2 oignons
- 1 branche de céleri
- 2 carottes
- 1 bouquet de sauge
- 4 c. à s. d'huile d'olive
- 15 cl de vin blanc
- Sel, poivre

1. Pelez les gousses d'ail, les oignons et les carottes. Coupez les carottes et le céleri en petits dés, les oignons en rondelles.
2. Ouvrez le rôti dans la longueur, puis disposez à l'intérieur la moitié de la sauge et deux gousses d'ail hachées. Salez, poivrez et ficelez le rôti.
3. Dans une cocotte avec l'huile d'olive, faites dorer le rôti sur toutes ses faces, puis ajoutez les oignons, les carottes, les gousses d'ail et le céleri. Couvrez et faites cuire à feu doux pendant 30 min.
4. Ajoutez le reste de la sauge et le vin blanc, puis prolongez la cuisson pendant 20 min.

Rôti de dinde au citron et pommes fondantes. ►

Cuisses de grenouilles persillées aux cèpes

18 €

Assez facile
6 pers
P : 20 min
C : 12 min

240 cal/p

Ustensiles
1 poêle
1 passoire
1 bol
1 grande poêle

- 48 cuisses de grenouilles
- 500 g de cèpes
- 1 poignée de persil haché
- 1 poignée de ciboulette émincée
- 1 poignée de cerfeuil haché
- 2 gousses d'ail hachées
- 40 g de beurre
- 1 jus de citron
- 30 g de farine
- Sel, poivre

1. Nettoyez les cèpes et émincez-les finement. Faites-les sauter à l'huile avec du sel pour leur faire rendre leur eau. Égouttez-les. Assaisonnez et farinez les cuisses de grenouilles.

2. Dans un bol, mélangez toutes les herbes avec l'ail.

3. Faites mousser du beurre dans une poêle, posez les cuisses de grenouilles à plat et faites-les cuire 3 min de chaque côté et ajoutez une partie de la persillade. Laissez cuire 1 min et ajoutez un filet de jus de citron. Réservez.

4. Faites sauter les cèpes au beurre pendant 5 min et ajoutez le restant de la persillade.

Ailerons de poulets à la mexicaine

4,90 €

Assez facile
4 pers
P : 10 min
C : 15 min
M : 1 h

200 cal/p

Ustensiles
1 plat creux
1 grande poêle

- 16 ailerons de poulet
- 1 grosse pincée de piment de Cayenne
- 2 c. à c. de paprika
- 2 c. à s. de miel
- Le jus d'1 citron vert
- 1 c. à s. de ketchup
- Sel, poivre

1. Mélangez les ailerons de poulets avec les autres ingrédients et laissez mariner pendant 1 h.

2. Faites cuire les ailerons marinés 5 min dans une poêle, en les retournant à mi-cuisson, et placez-les 10 min au four à 190° (thermostat 6).

3. Salez, poivrez et servez en apéritif.

Ailerons de poulets à la mexicaine. ▶

POULET AUX FIGUES FRAÎCHES

14,80 €

ASSEZ FACILE
4 PERS
P : 20 MIN
C : 55 MIN

790 CAL/P

USTENSILES
1 cocotte
1 mixeur

- 1 poulet d'environ 1,5 kg
- 1 c. à s. de bouillon de légumes en poudre (cube de volaille)
- 10 figues sèches
- 3 échalotes
- 2 pincées de piment d'Espelette
- 2 jus d'orange
- 1 c. à s. d'huile d'olive
- 1 branche de thym
- Sel, poivre

1. Coupez le poulet en morceaux, salez-les et poivrez-les. Pelez les échalotes et hachez-les.
2. Mettez l'huile à chauffer dans une sauteuse à revêtement antiadhésif. Faites dorer le poulet de tous côtés, ajoutez les échalotes et laissez-les fondre 2 min.
3. Versez la poudre de bouillon et 15 cl de jus d'orange. Mélangez.
4. Ajoutez les figues et le thym. Couvrez et laissez cuire à feu doux pendant 40 min.
5. Déposez le poulet cuit sur un plat chaud et entourez-le avec 8 figues. Jetez le thym.
6. Mixez le jus de cuisson avec les deux dernières figues. Présentez cette sauce en saucière, avec le poulet.

SUPRÊMES DE VOLAILLE TIKKA

8,10 €

ASSEZ FACILE
4 PERS
P : 15 MIN
C : 20 MIN

160 CAL/P

USTENSILES
1 bol
Piques en bois
1 plat

- 4 blancs de volaille
- 1 yaourt
- 2 gousses d'ail hachées
- 2 c. à c. de gingembre
- 1 c. à s. de paprika
- 1 jus de citron
- 1 c. à s. de cumin en poudre
- 1 c. à c. de garam massala (mélange d'épices moulues : cumin, coriandre, cannelle, clous de girofle, poivre noir, etc. très employé dans la cuisine indienne)
- 1 c. à c. de curcuma
- 1 citron coupé en quartiers

1. Mélangez les épices et le yaourt.
2. Coupez les blancs de volaille en cubes de 4 cm de côté et trempez-les dans la sauce au yaourt.
3. Enfilez les cubes de viande sur des piques à brochette.
4. Placez les brochettes sous le gril du four à la température maximale et faites-les cuire 15 min.
5. Servez les brochettes avec des quartiers de citron.

Suprêmes de volaille tikka. ▶

PORC SAUTÉ AUX CACAHUÈTES
et à la coriandre

6,90 €

Assez facile
4 pers
P : 20 min
C : 10 min
M : 15 min

720 cal/p

Ustensiles
1 bol
1 plat creux
1 grande poêle

- 800 g de rouelle de porc
- 50 g de cacahuètes
- 2 c. à s. de coriandre fraîche hachée
- 2 c. à s. d'huile d'arachide
- 4 c. à s. de sauce soja
- 2 c. à s. de sucre
- 1 c. à c. de gingembre frais haché

1. Mélangez le sucre, la sauce soja et le gingembre.
2. Coupez le porc en lanières fines.
3. Passez les cacahuètes au robot.
4. Mélangez les lanières de porc avec la préparation au soja et laissez mariner 15 min.
5. Poêlez vivement tous les ingrédients dans une grande poêle pendant 10 min et servez.

ANDOUILLETTES GRILLÉES
en gratin de pommes boulangères

19,60 €

Assez facile
6 pers
P : 30 min
C : 1 h 30

1 180 cal/p

Ustensiles
1 économe
1 cocotte
1 plat creux

- 5 andouillettes
- 800 g de pommes de terre
- 1 oignon émincé
- 1 gousse d'ail
- 50 cl de bouillon de volaille
- 20 cl de vin blanc
- 1 poignée de persil haché
- 30 g de petits lardons
- 1 branche de thym
- 1 feuille de laurier
- 20 cl de crème
- 2 c. à s. de moutarde
- 50 g de chapelure
- Huile d'olive
- 30 g de beurre
- Sel, poivre

1. Épluchez et coupez les pommes de terre en rondelles fines.
2. Dans une cocotte, faites revenir l'oignon et l'ail à l'huile d'olive, ajoutez le vin blanc et le bouillon de volaille. Assaisonnez et laissez bouillir 10 min.
3. Beurrez un plat creux. Remplissez la moitié du plat de pommes de terre et versez le bouillon à hauteur. Enfournez à 180° (thermostat 6) pendant 45 min Vérifiez la cuisson en piquant les pommes de terre, elles doivent être tendres. Retirez le boyau des andouillettes et coupez-les en morceaux.
4. Faites chauffer une cocotte avec du beurre, ajoutez les morceaux d'andouillettes et faites colorer en mélangeant bien. Ajoutez le persil, la moutarde et la crème et faites cuire le tout 5 min Rectifiez l'assaisonnement.
5. Versez la préparation sur les pommes de terre. Saupoudrez de chapelure et enfournez à 180° (thermostat 6) pendant 30 min.

Porc sauté aux cacahuètes et à la coriandre. ▶

CANARD AUX PÊCHES

15,50 €

et aux figues

ASSEZ FACILE
4 PERS
P : 10 MIN
C : 10 MIN

320 CAL/P

Ustensiles
1 poêle

- 2 magrets de canard
- 1 pêche
- 4 figues
- 1 échalote
- Huile d'olive, beurre
- 100 g de girolles
- 1 c. à s. de miel
- 1 bouquet de thym
- 2 c. à s. de vinaigre de vin rouge
- Le jus de 2 oranges
- 200 g d'épinards

1. Coupez les magrets en lanières de 1/2 cm. Coupez la pêche et les figues en demi-lunes. Pelez et hachez l'échalote.

2. Dans une poêle, faites sauter les lanières de magret assaisonnées à l'huile et au beurre.

3. Au bout de 2 min, ajoutez l'échalote hachée et les girolles. Mélangez bien. Ajoutez la pêche, les figues, le miel et un peu de thym.

4. Mouillez aussitôt avec le vinaigre de vin rouge et le jus d'orange. Poursuivez brièvement la cuisson. Incorporez les épinards au dernier moment.

CÔTES D'AGNEAU GRILLÉES

15,70 €

aux aubergines et courgettes aux amandes

ASSEZ FACILE
6 PERS
P : 20 MIN
C : 30 MIN

970 CAL/P

Ustensiles
1 cocotte
1 poêle

- 18 côtes d'agneau
- Huile d'olive
- 2 courgettes
- 2 aubergines
- 2 oignons émincés
- 30 g d'amandes effilées et grillées
- 1 pointe de curry
- Sel, poivre

1. Lavez les légumes, ôtez les extrémités et coupez-les en gros cubes.

2. Dans une cocotte, faites chauffer de l'huile d'olive et faites revenir les oignons. Laissez colorer légèrement, puis ajoutez les cubes d'aubergines et de courgettes.

3. Faites revenir le tout pendant 5 min, assaisonnez, ajoutez le curry et les amandes, versez un verre d'eau par-dessus. Couvrez et laissez mijoter 12 min Assaisonnez les côtes d'agneau.

4. Faites chauffer de l'huile d'olive dans une poêle et faites cuire les côtes d'agneau 5 min de chaque côté. Servez.

Côtes d'agneau grillées aux aubergines et courgettes aux amandes. ▶

ARCHIPEL

1 verre

Short drinks

Ustensiles
1 shaker

- 4/10 de gin
- 2,5/10 de Cointreau
- 3/10 de jus de piñacolada
- 0,5/10 de curaçao bleu

Mélangez tous les ingrédients dans l'ordre de la liste.

Frappez et versez dans un verre.

TI PUNCH SPÉCIAL

1 verre

Short drinks

Ustensiles
1 verre à old-fashioned

- 3 à 4 demi-tranches de citron vert
- 1 trait de sirop de vanille
- 1 trait de sirop de cannelle
- 1 trait de sirop de gingembre
- 1/10 de sirop de canne à sucre
- 7/10 de rhum blanc
- 2/10 de rhum brun

Mélangez tous les ingrédients dans l'ordre de la liste.

Versez dans un verre à old-fashioned.

GÉOMÉTRIE

1 verre

Short drinks

Ustensiles
1 shaker

- 4/10 de saké
- 2/10 de Cointreau
- 3/10 de jus de pamplemousse
- 1/10 de Get 27 vert

Mélangez tous les ingrédients dans l'ordre de la liste.

Frappez et versez dans un verre dans un verre à old-fashioned.

Archipel. ▶

CHEWING-GUM

1 verre

Short drinks

Ustensiles
1 shaker

- 4/10 de Passoa
- 1/10 de crème de banane
- 3/10 de gin
- 2/10 de nectar de pêche

1. Mélangez tous les ingrédients dans l'ordre de la liste.
2. Frappez et versez dans un verre à cocktail.

PRÉCIPICE

1 verre

Short drinks

Ustensiles
1 verre
à mélange

- 4/10 de vermouth dry
- 5/10 de gin

1. Mélangez tous les ingrédients dans l'ordre de la liste.
2. Remuez et versez dans un verre à cocktail.
3. Ajoutez 1/10 de sirop de cassis ou de groseille.

MARGARITA

1 verre

Short drinks

Ustensiles
1 shaker

- 1/10 de jus de citron
- 3/10 de Cointreau
- 6/10 de tequila

1. Mélangez tous les ingrédients dans l'ordre de la liste.
2. Frappez et versez dans un verre à cocktail.

Variante du White Lady, elle fut l'un des premières boissons mélangées à base de tequila, apparue dans les années 1930 à Tijuana. Elle figure parmi les dix cocktails les plus consommés au monde.

Chewing-gum. ▶

421

1 verre
Short drinks
Ustensiles
1 shaker

- 3,5/10 de rhum blanc
- 5/10 de coco Lopez
- 1/10 de crème de banane
- 0,5/10 de Cointreau

1. Mélangez tous les ingrédients dans l'ordre de la liste.
2. Frappez et versez dans un verre à old-fashioned.

DAIQUIRI

1 verre
Short drinks
Ustensiles
1 shaker

- 1/10 de sirop de sucre de canne
- 3/10 de jus de citron
- 6/10 de rhum blanc

1. Mélangez tous les ingrédients dans l'ordre de la liste.
2. Frappez et versez dans un verre à cocktail.

* L'origine du premier cocktail cubain est un peu floue mais c'est un ingénieur américain, Jennings Cox, qui le présenta pour la première fois à des compatriotes. Parmi eux se trouvait l'Amiral Lucius W. Johnson qui s'empressa, dès son retour en 1909, de le faire découvrir au Navy Club de Washington D.C. La version frozen fut inventée par Constante Ribailagua durant la prohibition américaine, date de l'apparition du mixer électrique derrière les bars.

PORTO FLIP

1 verre
Short drinks
Ustensiles
1 shaker

- 1 cuill. à café de sucre
- 1 jaune d'œuf
- 3/10 de cognac
- 7/10 de porto rouge

1. Mélangez tous les ingrédients dans l'ordre de la liste.
2. Frappez et versez dans un verre.
3. Saupoudrez de noix de muscade.

421. ▶

BLEU LAGOON

1 verre

Short drinks

Ustensiles
1 shaker

- 1/10 de jus de citron
- 3/10 de curaçao bleu
- 6/10 de vodka

1. Mélangez tous les ingrédients dans l'ordre de la liste.
2. Frappez et versez dans un verre à cocktail.

Cette variante du Balalaïka fut créée en 1960 par Andy MacElhone au Harry's Bar à Paris lorsque le curaçao est apparu sur le marché des liqueurs.

ARTÈRE

1 verre

Short drinks

Ustensiles
1 shaker

- 4/10 de rhum blanc
- 3/10 de Cointreau
- 2/10 de jus de citron pressé

1. Mélangez tous les ingrédients dans l'ordre de la liste.
2. Frappez et versez dans un verre à cocktail.
3. Ajoutez 1/10 de sirop de grenadine.

PINK GIN

1 verre

Short drinks

Ustensiles
1 shaker

- 2 traits d'Angostura
- 10/10 de gin

1. Mélangez tous les ingrédients dans l'ordre de la liste.
2. Frappez et versez dans un verre à cocktail.
3. Servez accompagné d'un verre d'eau glacée.

Ce cocktail fut le premier mélange à base d'Angostura et un des premiers avec du gin. Les officiers de la Royal Navy en firent rapidement bon usage avec leur ration de gin.

Blue lagoon. ▶

SOLEIL LEVANT

1 verre

Long drinks

Ustensiles
1 shaker

- 2/10 de Grand-Marnier
- 3/10 de rhum blanc
- 4/10 de jus de pamplemousse rose
- 1/10 de sirop de fraise

1. Mélangez tous les ingrédients dans l'ordre de la liste.
2. Frappez et versez dans un verre.

AMERICANO

1 verre

Long drinks

Ustensiles
1 tumbler rempli de glace

- 7/10 de Campari
- 3/10 de vermouth italien
- Un peu de Perrier

1. Mélangez tous les ingrédients dans l'ordre de la liste.
2. Ajoutez un peu de Perrier, frappez et versez dans un verre à cocktail.

*Durant la prohibition, de nombreux Américains ont voyagé en Italie et y ont découvert le Campari qui pouvait être consommé légalement aux États-Unis. Ce sont les Italiens qui donnèrent son nom à cette boisson italienne adorée des Américains.

BLOODY MARY

1 verre

Long drinks

Ustensiles
1 tumbler rempli de glace

- 1 trait de tabasco
- 1 trait de sauce Worcestershire
- 1/10 de jus de citron
- 3/10 de vodka
- 6/10 de jus de tomate

1. Mélangez tous les ingrédients dans l'ordre de la liste.
2. Saupoudrez de sel au céleri.
3. Remuez.

Soleil levant. ▶

L'insolite

1 verre

Long drinks

Ustensiles
1 shaker

- 1,5/10 de liqueur de melon
- 6/10 de lait frais
- 1,5/10 de jus d'orange

1. Mélangez tous les ingrédients dans l'ordre de la liste.
2. Frappez et versez dans un tumbler.
3. Terminez par 1/10 de crème de cassis.

Gin fizz

1 verre

Long drinks

Ustensiles
1 shaker

- 1 cuill. à café de sucre
- 1 jus de citron
- 1 mesure de gin

1. Mélangez tous les ingrédients dans l'ordre de la liste.
2. Frappez et versez dans un tumbler sans glace.
3. Rallongez avec du Perrier.

*Ce fancy drink, variante du John Collins, est apparu à la fin des années 1870 lorsque l'élaboration de boissons au shaker a été rendue possible. La recette originale ainsi que ses variantes Silver Fizz et Golden Fizz, déjà appréciées dans les années 1880, comportait du Old Tom gin.

Mojito

1 verre

Long drinks

Ustensiles
1 verre

- 1 cuill. à café de sucre
- Quelques feuilles de menthe fraîche pilées
- 1 jus de citron vert
- 1 mesure de rhum
- 1 trait d'Angostura

1. Dans un verre, versez le sucre et les feuilles de menthe.
2. Remplissez de glace puis versez le jus d'un citron vert, 1 mesure de rhum cubain, 1 trait d'Angostura.
3. Rallongez avec du Perrier et remuez.

L'insolite. ▶

ARA BLEU

1 VERRE

Long drinks

USTENSILES
1 trumbler rempli de glace

- 4/10 de tequila
- 1/10 de curaçao bleu
- 5/10 de Schweppes

1. Mélangez tous les ingrédients dans l'ordre de la liste.
2. Frappez et versez dans un verre à cocktail.

PINA COLADA

1 VERRE

Long drinks

USTENSILES
1 shaker

- 2/10 de sirop de coco
- 3/10 de rhum blanc
- 5/10 de jus d'ananas

1. Mélangez tous les ingrédients dans l'ordre de la liste.
2. Frappez et versez dans un tumbler rempli de glace.

* Cette recette fut inventée entre 1950 et 1960 à Puerto Rico. Ce fancy drink figure parmi les cocktails les plus consommés dans le monde.

TEQUILA SUNRISE

1 VERRE

Long drinks

USTENSILES
1 tumbler rempli de glace

- 7/10 de jus d'orange
- 3/10 de tequila

1. Mélangez tous les ingrédients dans l'ordre de la liste.
2. Remuez.
3. Terminez par 1 trait de sirop de grenadine.

* Lors de sa création dans les années 1930, au Mexique, ce mélange s'appelait Tequila Cocktail. C'était un short drink et il fut,avec la Margarita, l'un des premiers cocktails à base de tequila.

Ara bleu. ▶

CLIN D'ŒIL

1 verre

Long drinks

Ustensiles
1 shaker

- 4/10 de vodka
- 1/10 de sirop d'orgeat
- 2/10 de jus d'ananas
- 2/10 de jus de piñacolada

1. Mélangez tous les ingrédients dans l'ordre de la liste.
2. Frappez et versez dans un tumbler.
3. Terminez par 1/10 de curaçao bleu.

JOUET

1 verre

Long drinks

Ustensiles
1 shaker

- 5/10 de tequila
- 4/10 de jus d'ananas
- 1/10 de jus de citron

1. Mélangez tous les ingrédients dans l'ordre de la liste.
2. Frappez et versez dans un verre.
3. Terminez par 1 trait de sirop de grenadine.

ÉQUATEUR

1 verre

Long drinks

Ustensiles
1 shaker

- 4/10 de rhum blanc
- 0,5/10 de liqueur d'anis
- 5/10 de jus de raisin blanc
- 0,5/10 de curaçao bleu

1. Mélangez tous les ingrédients dans l'ordre de la liste.
2. Frappez et versez dans un verre.

Clin d'œil. ▶

SCREWDRIVER

1 VERRE

Long drinks

USTENSILES
1 tumbler rempli de glace

- 4/10 de vodka
- 6/10 de jus d'orange

1. Mélangez tous les ingrédients dans l'ordre de la liste.
2. Remuez.

IGLOO

1 VERRE

Long drinks

USTENSILES
1 shaker

- 4/10 de gin
- 1/10 de cherry-brandy
- 1/10 de jus de citron

1. Mélangez tous les ingrédients dans l'ordre de la liste.
2. Frappez et versez dans un tumbler.
3. Complétez avec 4/10 de Perrier.

PLUIE D'AUTOMNE

1 VERRE

Long drinks

USTENSILES
1 verre à champagne

- 1/10 de poire William
- 2/10 de cognac
- 7/10 de champagne

1. Mélangez tous les ingrédients dans l'ordre de la liste.
2. Frappez et versez dans un verre à cocktail.

Screwdriver. ▶

ENVIE

1 VERRE

Long drinks

USTENSILES
1 shaker

- 2/10 de jus d'orange
- 3/10 de cognac
- 1,5/10 de Grand-Marnier
- 0,5/10 de Mandarine Impériale

1. Mélangez tous les ingrédients dans l'ordre de la liste.
2. Frappez et versez dans un verre à champagne.
3. Complétez avec 3/10 de champagne.

GRAND DUC

1 VERRE

Long drinks

USTENSILES
1 tumbler

- 1 trait d'Angostura
- 0,5/10 d'Amer Picon
- 2/10 de Grand-Marnier
- 3/10 de Bourbon
- 4,5/10 de Canada Dry

1. Mélangez tous les ingrédients dans l'ordre de la liste.
2. Frappez et versez dans un verre à cocktail.

POINT BLEU

1 VERRE

Long drinks

USTENSILES
1 trumbler

- 1/10 de jus de citron
- 2/10 de poire William
- 6/10 de Schweppes

1. Mélangez tous les ingrédients dans l'ordre de la liste.
2. Frappez et versez dans un verre à cocktail.
3. Terminez par 1/10 de curaçao bleu.

Envie. ▶

AFFECTION

1 verre

Sans alcool

Ustensiles
1 verre rempli de glace

- 1/10 de sirop de fraise
- 2/10 de jus de citron
- 7/10 de Canada Dry

1. Mélangez tous les ingrédients dans l'ordre de la liste.
2. Frappez et versez dans un verre à cocktail.

CASCADE

1 verre

Sans alcool

Ustensiles
1 verre rempli de glace

- 1/10 de jus de citron
- 4/10 de jus d'orange

1. Mélangez tous les ingrédients dans l'ordre de la liste.
2. Frappez et versez dans un verre à cocktail.
3. Complétez avec 5/10 de Canada Dry.
4. Finissez par 1 trait de sirop de fraise.

PINK PANTHER

1 verre

Sans alcool

Ustensiles
1 shaker

- 5/10 de jus de goyave
- 4/10 de jus de pamplemousse rose
- 0,5/10 de sirop de banane
- 0,5/10 de sirop de fraise

1. Mélangez tous les ingrédients dans l'ordre de la liste.
2. Frappez et versez dans un verre.

Affection. ▶

BAMBOU

1 VERRE

Sans alcool

USTENSILES
1 shaker

- 6/10 de jus de mangue
- 1/10 de jus de citron vert
- 3/10 de sirop de coco
- 1 trait de sirop de menthe

1. Mélangez tous les ingrédients dans l'ordre de la liste.
2. Frappez et versez dans un verre.

ÉTOILE

1 VERRE

Sans alcool

USTENSILES
1 shaker

- 1 trait de sirop de rose
- 1 trait de sirop de fraise
- 1 trait de sirop de cerise
- 6/10 de jus de fruit de la passion
- 4/10 de nectar de pêche

1. Mélangez tous les ingrédients dans l'ordre de la liste.
2. Frappez et versez dans un verre.

MÉDAILLON

1 VERRE

Sans alcool

USTENSILES
1 shaker

- 5/10 de jus de pomme
- 2/10 de jus de pamplemousse
- 2/10 de jus de mangue

1. Mélangez tous les ingrédients dans l'ordre de la liste.
2. Frappez et versez dans un verre.
3. Ajoutez 1/10 de sirop de grenadine en dernier.

Bambou. ▶

L'ACE MAISON

1 verre

Sans alcool

Ustensiles
1 shaker

- 2 oranges
- 2 carottes coupées en morceaux
- 2 cuillères à soupe de jus de citron jaune

1. Pressez les oranges. Épluchez et passez les morceaux de carottes à la centrifugeuse.
2. Mélangez les jus, versez dans un verre et servez.

CAROTTES ET PAPAYE SMOOTHIE

1 verre

Sans alcool

Ustensiles
1 shaker

- 1 carotte
- 20 cl de jus de noix de coco
- 2 c. à s. de sucre
- 1 c. à c. de jus de citron

1. Épluchez et passez la carotte dans une centrifugeuse.
2. Mélangez le jus de la carotte avec le lait de coco, le sucre et le jus de citron.
3. Versez dans un verre et servez.

BEETROOT BLISS

1 verre

Sans alcool

Ustensiles
1 shaker

- 1/2 betterave rouge crue
- 1 yaourt
- 1 cuillère à soupe d'huile d'olive
- 1 pincée de sel de céleri
- Sel et poivre
- 2 glaçons

1. Coupez la betterave en morceaux et passez-les à la centrifugeuse.
2. Mélangez le jus de betterave avec le yaourt, les glaçons, le sel de céleri, l'huile d'olive, puis assaisonnez.
3. Versez dans un verre et servez.

Beetroot bliss. ▶

Gâteau au yaourt

2,80 €

FACILE
6-8 PERS
P : 15 MIN
C : 45 MIN

380 CAL/P

Ustensiles
1 saladier
1 fouet
1 moule à gâteau

- 2 yaourts (le pot servira de mesure)
- 3 pots de farine
- 2 pots de sucre
- 2 œufs
- 2 sachets de sucre vanillé
- 1 sachet de levure
- 1/2 pot d'huile
- 1 noix de beurre

1. Cassez les œufs dans un saladier et fouettez-les avec les yaourts, le sucre et le sucre vanillé. Ajoutez la farine et la levure petit à petit. Puis incorporez l'huile.

2. Beurrez un moule et versez la préparation dedans. Enfournez à 170° (thermostat 6) pendant 45 min.

3. Vous pouvez utiliser des yaourts parfumés.

Clafoutis à la mangue
et à la noix de coco

8,10 €

FACILE
6 PERS
P : 20 MIN
C : 45 MIN

1 080 CAL/P

Ustensiles
1 poêle
1 fouet
1 saladier
1 moule creux

- 2 mangues
- 4 cl de rhum
- 50 g de noix de coco râpée
- 30 g + 70 g de sucre
- 80 g de farine
- 10 cl de lait de coco
- 10 cl de lait
- 20 cl de crème
- 30 g de beurre

1. Beurrez un moule creux.

2. Épluchez et coupez les mangues en dés. Faites-les sauter au beurre avec 30 g de sucre pendant 5 min, puis flambez au rhum. Mettez-les au fond du moule.

3. Fouettez les œufs avec le sucre jusqu'à ce que le mélange blanchisse, puis incorporez la farine et la noix de coco en remuant bien.

4. Ajoutez le lait de coco, le lait et la crème tout en fouettant vivement.

5. Versez la pâte sur les mangues et faites cuire dans un four chaud à 180° (thermostat 6) pendant 45 min.

Gâteau au yaourt. ▶

YAOURT NATURE
125 g

GÂTEAU MANQUÉ

2,90 €

FACILE
4 PERS
P : 25 MIN
C : 45 MIN

590 CAL/P

Ustensiles
2 saladiers
1 fouet
1 bol
1 moule creux

- 200 g de farine
- 6 œufs
- 250 g de sucre en poudre
- 1 sachet de sucre vanillé
- 2 pincées de sel
- 100 de beurre

1. Séparez les jaunes des blancs d'œufs.
2. Dans un saladier, battez les jaunes et le sucre. Ajoutez le sucre vanillé et 1 pincée de sel. Faites fondre 80 g de beurre et incorporez le beurre au mélange, puis saupoudrez de farine et mélangez.
3. Battez les blancs en neige avec une pincée de sel et incorporez-les à la préparation sans les casser, en les soulevant avec la spatule.
4. Beurrez le moule et versez-y la préparation.
5. Enfournez et faites cuire pendant 15 min dans un four chaud à 180° (thermostat 6). Puis, baissez la température à 150° (thermostat 5) et faites cuire 30 min. Testez la cuisson. Laissez tiédir avant de démouler.

QUATRE-QUART

5,70 €

FACILE
6 PERS
P : 10 MIN
C : 30 MIN

1 200 CAL/P

Ustensiles
1 moule à cake
1 saladier
1 fouet
1 bol

- 4 œufs
- 240 g de farine
- 240 g de sucre
- 240 g de beurre
- 1 noix de beurre
- 1/2 sachet de levure

1. Beurrez un moule à cake. Fouettez les œufs avec le sucre. Puis ajoutez la farine et la levure.
2. Faites fondre le beurre au micro-ondes et ajoutez-le à la préparation. Mélangez bien.
3. Versez le mélange dans le moule.
4. Enfournez 25-30 min à 180° (thermosta
5. Pour les plus gourmands, ajoutez du chocolat.

Quatre-quart. ▶

PAIN PERDU

1,40 €

FACILE
4 PERS
P : 10 MIN
C : 4 MIN

550 CAL/P

USTENSILES
1 saladier
1 fouet
1 poêle

- 4 tranches de brioche ou de pain un peu rassis
- 3 œufs
- 30 cl de lait
- 2 c. à s. de sucre
- 15 g de beurre

1. Cassez les œufs dans un saladier et mélangez-les avec le sucre à l'aide d'un fouet. Puis ajoutez le lait et mélangez bien.
2. Faites fondre le beurre dans une poêle. Trempez les tranches de brioche dans le mélange pendant 15 s, en les retournant, puis posez-les dans la poêle chaude.
3. Faites-les colorer de chaque côté et dégustez-les de suite.

BANANES FLAMBÉES

3 €

FACILE
4 PERS
P : 5 MIN
C : 15 MIN

230 CAL/P

USTENSILES
1 poêle
1 plat

- 4 bananes
- 1 citron
- 40 g de beurre
- 8 cl de rhum

1. Pelez les bananes et coupez-les en deux dans le sens de la longueur. Citronnez-les pour éviter qu'elles noircissent.
2. Faites fondre le beurre dans une poêle. Posez les bananes côté plat. Laissez-les dorer doucement.
3. Faites chauffer le rhum. Mettez les bananes une fois bien dorées sur un plat.
4. Arrosez-les avec le rhum et flambez-les devant les invités.

Bananes flambées. ▶

CRÊPES DE MAMIE RÉGINE

4,30 €

Facile
4 pers
P : 15 min
C : 10 min
R : 1 h

830 cal/p

Ustensiles
1 saladier
1 fouet
1 casserole
1 louche
1 poêle à crêpes
1 assiette

- 500 g de farine
- 7 œufs
- 25 g de beurre
- Le zeste d'un citron
- 2 sachets de sucre vanillé
- 4 cl de rhum
- 1 l de lait
- 1 pincée de sel
- 1 filet d'huile

1. Battez les œufs en omelette. Faites fondre le beurre dans un petit peu de lait et laisser tiédir (vous pouvez ajouter une demi-gousse de vanille fendue en deux ou une autre épice).

2. Versez la farine dans un saladier et incorporez les œufs battus petit à petit. Fouettez énergiquement. Ajoutez le beurre fondu et le sel, battez vigoureusement de façon à obtenir une pâte lisse.

3. Éclaircissez la pâte avec le lait jusqu'à l'obtention d'une pâte fluide (mais pas trop, utilisez environ 75 cl de lait). Pour voir si votre pâte est bonne, trempez une louche dans la pâte et elle doit napper le dos de la louche. Laissez reposer la pâte pendant 1 h.

4. Faites chauffer une poêle avec un filet d'huile et faites cuire vos crêpes une minute de chaque côté.

5. Empilez-les sur une assiette et à chaque fois que vous en posez une, saupoudrez-la de sucre. Couvrez-les d'une feuille de papier aluminium jusqu'au moment de les servir.

CARPACCIO DE BANANES

à la crème de stracciatella

4,90 €

Facile
4 pers
P : 15 min
R : 1 h

580 cal/p

Ustensiles
1 saladier
1 fouet

- 4 bananes
- 100 g de pépites de chocolat
- 25 cl de crème liquide
- 80 g de mascarpone
- 20 g de sucre glace

1. Coupez les bananes en trois dans le sens de la longueur. Retirez la peau.

2. Montez la crème en chantilly, ajoutez le mascarpone et le sucre glace. Fouettez énergiquement pour bien incorporer le mascarpone, puis ajouez les pépites de chocolat.

3. Pour chaque carpaccio, mettez une tranche de banane, une couche de crème, refaites l'opération une fois et terminez par une tranche de banane.

4. Mettez au frais pendant 1 h et servez avec une sauce au chocolat chaud.

Carpaccio de bananes à la crème de stracciatella. ▶

CRUMBLE AUX FRUITS EXOTIQUES

7,40 €

FACILE
4 PERS
P : 30 MIN
C : 30 MIN

830 CAL/P

USTENSILES
1 casserole
1 saladier
1 plat creux

- 1 mangue
- 2 fruits de la passion
- 2 bananes
- 100 g de poudre d'amandes
- 100 g de farine
- 200 g de beurre pommade
- 180 g de sucre en poudre
- 1 pincée de sel

1. Épluchez et coupez la chair de la mangue en dés. Coupez les fruits de la passion en deux et enlevez la chair. Épluchez et coupez les bananes en rondelles.
2. Dans une casserole, faites cuire les fruits avec 100 g de sucre pendant 10 min à couvert. Coupez le beurre en dés et mélangez-les à la farine, la poudre d'amandes et 80 g de sucre.
3. Sablez votre pâte à crumble en frottant le mélange entre vos paumes.
4. Versez les fruits dans un plat beurré et saupoudrez le dessus avec l'appareil à crumble.
5. Dans un four à 220° (thermostat 7), faites cuire le crumble 30 min. Servez tiède.

CRUMBLE À L'ANANAS

et au rhum

4,40 €

FACILE
4 PERS
P : 25 MIN
C : 40 MIN

770 CAL/P

USTENSILES
1 saladier
1 plat creux

- 150 g de farine
- 100 g de noix de coco râpée
- 50 g de sucre
- 150 g de beurre
- 1 ananas
- 100 g de cassonade
- 2 c. à s. de rhum

1. Pelez et coupez l'ananas en quatre, enlevez le cœur et recoupez-le en petits morceaux.
2. Dans un saladier, mélangez le beurre coupé en petits morceaux avec la farine, le sucre et la noix de coco, puis travaillez du bout des doigts jusqu'à obtenir une pâte grumeleuse.
3. Mélangez l'ananas avec la cassonade et versez dans un plat à gratin.
4. Couvrez avec la pâte à crumble et enfournez dans un four chaud à 180° (thermostat 6) pendant 40 min Servez chaud.

Crumble à l'ananas et au rhum. ▶

CRUMBLE AUX POMMES

4 €

FACILE
4-6 PERS
P : 20 MIN
C : 30 MIN

840 CAL/P

USTENSILES
1 saladier
1 économe
1 plat creux

- 6 pommes
- 200 g de farine
- 200 g de sucre
- 200 g de beurre
- 1 noix de beurre

1. Faites ramollir le beurre au micro-ondes. Puis mélangez-le avec le sucre et la farine jusqu'à ce que le mélange s'émiette.
2. Épluchez les pommes, coupez-les en deux, ôtez le cœur et coupez-les en petits quartiers.
3. Beurrez un moule creux. Déposez les pommes. Ajoutez la pâte en l'émiettant bien sur les pommes.
4. Enfournez à 180° (thermostat 6) pendant 30 min.

CRUMBLE AUX FRAISES

et aux framboises

6,60 €

FACILE
4 PERS
P : 20 MIN
C : 30 MIN

660 CAL/P

USTENSILES
1 saladier
1 plat creux

- 150 g de farine
- 100 g de biscuits à la cuillère
- 50 g de sucre
- 150 g de beurre
- 200 g de fraises
- 300 g de framboises
- 60 g de cassonade

1. Dans un saladier, mélangez le beurre coupé en petits morceaux avec la farine, le sucre et les biscuits écrasés, puis travaillez du bout des doigts jusqu'à obtenir une pâte grumeleuse.
2. Lavez les fraises et les framboises, mélangez-les avec la cassonade et versez-les dans un plat à gratin.
3. Couvrez avec la pâte à crumble et enfournez dans un four chaud à 180° (thermostat 6) pendant 30 min. Servez chaud.

Crumble aux fraises et aux framboises. ▶

TATIN AUX MANGUES

8,80 €

ASSEZ FACILE
1 TARTE
P : 20 MIN
C : 40 MIN

2 670 CAL/P

USTENSILES
1 moule à tatin ou 1 poêle allant au four
1 économe

- 1 rouleau de pâte à tarte
- 5 mangues
- 100 g de beurre
- 100 g de sucre
- 1/2 c. à c. de gingembre en poudre

1. Pelez les mangues, enlevez les noyaux et coupez des tranches épaisses.
2. Faites fondre le beurre avec le sucre dans un moule à tatin ou une poêle allant au four, disposez les tranches de mangues dans le fond du moule, saupoudrez de gingembre.
3. Faites cuire au four chaud à 180° (thermostat 6) pendant 15 min.
4. Étalez la pâte et déposez-la sur la tarte de manière à recouvrir les mangues, puis enfournez dans un four chaud à 180° (thermostat 6) pendant 25 min.
5. Après la sortie du four, attendez quelques instants pour démouler votre tarte, en la retournant sur un plat.

TATIN AUX BANANES

6,40 €

ASSEZ FACILE
1 TARTE
P : 20 MIN
C : 30 MIN

3 850 CAL/P

USTENSILES
1 moule à tatin ou 1 poêle allant au four

- 1 rouleau de pâte à tarte
- 6 bananes
- 100 g de beurre
- 100 g de sucre
- 1 c. à s. de rhum
- 100 g de noix de coco râpé

1. Épluchez les bananes, coupez-les en deux dans la longueur.
2. Faites fondre le beurre avec le sucre dans un moule à tatin ou une poêle allant au four, disposez les bananes dans le fond du moule, ajoutez le rhum et saupoudrez de noix de coco.
3. Faites cuire au four chaud à 180° (thermostat 6) pendant 5 min.
4. Étalez la pâte et déposez-la sur la tarte de manière à recouvrir les bananes, puis enfournez dans un four chaud à 180° (thermostat 6) pendant 25 min.
5. À la sortie du four, attendez quelques instants pour démouler votre tarte, en la retournant sur un plat.

Tatin aux mangues. ▶

FLAN AUX PRUNEAUX

5,30 €

FACILE
6-8 PERS
P : 15 MIN
C : 40 MIN

710 CAL/P

USTENSILES
1 fouet
1 saladier
1 moule à gâteau

- 4 œufs
- 120 g de sucre
- 240 g de farine
- 50 cl de lait
- 2 cl de rhum (facultatif)
- 20 pruneaux (selon grosseur)
- 1 noix de beurre

1. Ôtez le noyau des pruneaux et coupez-les en deux ou en quatre.
2. Fouettez les œufs avec le sucre, puis ajoutez la farine petit à petit en fouettant toujours. Versez le lait (et le rhum) et mélangez bien.
3. Beurrez un moule. Disposez les pruneaux et versez la pâte dessus.
4. Enfournez à 180° (thermostat 6) pendant 40 min.

CLAFOUTIS

à la crème de marron et sa chantilly chocolat

3,90 €

FACILE
6 PERS
P : 10 MIN
C : 30 MIN

600 CAL/P

USTENSILES
2 saladiers
1 fouet
1 tamis
1 plat creux

- 20 cl de lait
- 20 cl de crème
- 100 g de crème de marron vanillée
- 4 œufs

Pour la chantilly

- 25 cl de crème bien froide
- 30 g de sucre glace
- 50 g de cacao amer

1. Montez la crème en chantilly, puis ajoutez le sucre glace et le cacao, que vous aurez passé au tamis. Réservez la chantilly au réfrigérateur.
2. Fouettez vivement les œufs, puis ajoutez la crème de marron, le lait et la crème. Mélangez bien.
3. Beurrez un plat creux, versez-y la préparation, puis faites cuire dans un four chaud à 180° (thermostat 6) pendant 30 min.
4. Dégustez tiède accompagné de la chantilly au chocolat.

Flan aux pruneaux. ▶

CLAFOUTIS AUX BANANES

4,60 €

FACILE
6 PERS
P : 20 MIN
C : 45 MIN

1 520 CAL/P

USTENSILES
1 saladier
1 fouet
1 moule creux

- 5 bananes
- 150 g de farine
- 4 œufs
- 130 g de sucre
- 25 cl de lait
- 4 c. à s. d'huile
- 1/2 sachet de levure chimique
- 1 pincée de sel

1. Épluchez et coupez les bananes en rondelles.
2. Dans un saladier, mélangez les œufs avec le sucre, puis ajoutez la farine et la levure.
3. Versez le lait et le sel, incorporez l'huile et remuez bien pour obtenir une pâte homogène.
4. Déposez les rondelles de bananes dans un moule beurré et versez la pâte.
5. Cuisez le clafoutis dans un four chaud à 180° (thermostat 6) pendant 45 min. Servez tiède ou froid.

CLAFOUTIS AUX CERISES

4,30 €

FACILE
6 PERS
P : 20 MIN
C : 45 MIN

400 CAL/P

USTENSILES
1 saladier
1 fouet
1 moule creux

- 800 g de cerises
- 150 g de farine
- 4 œufs
- 130 g de sucre
- 25 cl de lait
- 4 c. à s. d'huile
- 1/2 sachet de levure chimique
- 1 pincée de sel

1. Lavez et équeutez les cerises.
2. Dans un saladier, mélangez les œufs avec le sucre, puis ajoutez la farine et la levure.
3. Versez le lait et le sel, incorporez l'huile, et mélangez bien pour obtenir une pâte homogène.
4. Déposez les cerises dans un moule beurré et versez la pâte. Cuisez le clafoutis dans un four chaud à 180° (thermostat 6) pendant 45 min. Dégustez tiède ou froid.

Clafoutis aux bananes. ▶

CLAFOUTIS AUX MIRABELLES

6,50 €

FACILE
6 PERS
P : 20 MIN
C : 45 MIN

1 080 CAL/P

USTENSILES
1 saladier
1 fouet
1 moule creux

- 800 g de mirabelles
- 150 g de farine
- 4 œufs
- 130 g de sucre
- 25 cl de lait
- 4 c. à s. d'huile
- 1/2 sachet de levure chimique
- 1 pincée de sel

1. Lavez et équeutez les mirabelles.
2. Dans un saladier, mélangez les œufs avec le sucre, puis ajoutez la farine et la levure.
3. Versez le lait et le sel, incorporez l'huile, et mélangez bien pour obtenir une pâte homogène.
4. Déposez les mirabelles dans un moule beurré et versez la pâte. Cuisez le clafoutis dans un four chaud à 180° (thermostat 6) pendant 45 min. Dégustez tiède ou froid.

CLAFOUTIS AUX POMMES
et à la cannelle

3,90 €

FACILE
6 PERS
P : 30 MIN
C : 55 MIN

1 280 CAL/P

USTENSILES
1 économe
1 poêle
1 saladier
1 fouet
1 moule creux

- 4 pommes
- 150 g de farine
- 4 œufs
- 130 g de sucre
- 25 cl de lait
- 4 c. à s. d'huile
- 1/2 sachet de levure chimique
- 1 pincée de sel
- 1 c. à c. de cannelle en poudre

1. Pelez et coupez les pommes en deux, enlevez le cœur, puis coupez-les en petits cubes.
2. Faites revenir les pommes dans une poêle avec 100 g de beurre pendant 10 min, puis ajoutez la cannelle.
3. Dans un saladier, mélangez les œufs avec le sucre, puis ajoutez la farine et la levure.
4. Versez le lait et le sel, incorporez l'huile, et mélangez bien pour obtenir une pâte homogène.
5. Déposez les pommes dans un moule beurré et versez la pâte. Cuisez le clafoutis dans un four chaud à 180° (thermostat 6) pendant 45 min. Dégustez tiède ou froid.

Clafoutis aux mirabelles. ▶

CLAFOUTIS AUX PRUNEAUX

6,70 €

FACILE
6 PERS
P : 30 MIN
C : 45 MIN

1 860 CAL/P

USTENSILES
1 bol
1 saladier
1 fouet
1 moule creux

- 400 g de pruneaux
- 150 g de farine
- 4 œufs
- 130 g de sucre
- 25 cl de lait
- 4 c. à s. d'huile
- 1/2 sachet de levure chimique
- 1 pincée de sel
- 2 c. à s. d'armagnac

1. Mettez à tremper les pruneaux dans de l'eau tiède avec l'armagnac pendant 15 min, puis égouttez-les.

2. Versez le lait et le sel, incorporez l'huile, et mélangez bien pour obtenir une pâte homogène.

3. Déposez les pruneaux égouttés dans un moule beurré et versez la pâte. Cuisez le clafoutis dans un four chaud à 180° (thermostat 6) pendant 45 min. Dégustez tiède ou froid.

CRÈME BRÛLÉE VANILLÉE
au pain d'épices

5,20 €

FACILE
6 PERS
P : 10 MIN
C : 30 MIN

530 CAL/P

USTENSILES
1 casserole
1 saladier
1 fouet
6 moules à crème brûlée
1 grande plaque creuse

- 40 cl de crème
- 1 gousse de vanille
- 6 jaunes d'œufs
- 40 g de miel liquide
- 3 tranches de pain d'épices
- 30 g de cassonade

1. Fendez la gousse de vanille en deux. Mettez-la dans une casserole avec la crème et faites bouillir.

2. Fouettez les jaunes d'œufs avec le miel jusqu'à ce que le mélange blanchisse. Versez la crème par-dessus. Mélangez bien et ôtez la gousse de vanille.

3. Coupez les tranches de pain d'épices en petits cubes et disposez-les au fond des moules à crème brûlée. Versez la préparation par-dessus.

4. Faites cuire au bain-marie à 120° (thermostat 4) pendant 30 min. Saupoudrez ensuite de cassonade et passez sous le gril pour caraméliser le dessus. Laissez refroidir ou servez tiède.

Crème brûlée vanillée au pain d'épices. ▶

PETITS POTS AU CARAMBAR

1,90 €

FACILE
4 PERS
P : 10 MIN
C : 40 MIN

210 CAL/P

Ustensiles
1 casserole
1 fouet
1 saladier
4 ramequins

3 jaunes d'œufs
1 œuf
40 cl de lait
20 g de sucre
8 carambars au caramel

1. Faites bouillir le lait, puis ajoutez les carambars et fouettez vivement jusqu'à ce qu'ils soient fondus.

2. Battez les jaunes d'œufs et l'œuf entier avec le sucre jusqu'à ce que le mélange blanchisse, puis versez très doucement le lait au carambar en remuant bien.

3. Répartissez la préparation dans 4 ramequins et faites cuire au bain-marie à 150° (thermosat 5) pendant 40 min.

4. Laissez refroidir au réfrigérateur avant de les déguster.

SOUPE DE COCO ET DE BANANE

5,40 €

FACILE
4 PERS
P : 15 MIN
C : 2 MIN

280 CAL/P

Ustensiles
1 casserole
1 poêle
4 assiettes creuses

50 cl de lait de coco
100 g de chocolat noir
1 pincée de cannelle
1 banane
20 g de beurre
1 sachet de sucre vanillé
1 c. à s. de noix de coco râpée
1 c. à s. de cacao

1. Portez à ébullition le lait de coco, ajoutez le chocolat, la cannelle et mélangez.

2. Épluchez et coupez la banane en rondelles. Poêlez-les avec le beurre et le sucre vanillé pendant 2 min.

3. Servez la soupe chaude au chocolat parsemée de rondelles de banane poêlée, de noix de coco râpée et de cacao.

Petits pots au carambar. ▶

TARTINES BANANE-CHOCOLAT

1,40 €

FACILE
4 PERS
P : 10 MIN
C : 5 MIN

150 CAL/P

USTENSILES
1 couteau

- 4 tranches de pain d'épices
- 2 bananes
- 1 c. à c. de pâte à tartiner

1. Épluchez les bananes et coupez-les en rondelles.
2. Tartinez les tranches de pain d'épices avec la pâte. Puis ajoutez les rondelles de banane.
3. Enfournez à 200° (thermostat 7) pendant 5 min.

CROQUE BANANE-CHOCOLAT

5,30 €

FACILE
4 PERS
P : 10 MIN
C : 4 MIN

770 CAL/P

USTENSILES
1 saladier
1 casserole

- 8 tranches de brioche
- 2 bananes
- 1 bombe de chantilly
- 200 g de chocolat noir
- 10 cl de crème liquide
- 20 g de beurre

1. Faites fondre le chocolat au bain-marie. Ajoutez la crème liquide et le beurre au chocolat fondu et mélangez bien.
2. Épluchez les bananes et coupez-les en rondelles.
3. Répartissez la moitié des rondelles de banane sur 4 tranches de brioche. Nappez ces 4 tranches de sauce chocolat, puis recouvrez des 4 tranches de brioche restantes.
4. Recouvrez des rondelles de banane restantes, puis nappez à nouveau de sauce chocolat. Surmontez le tout de chantilly et dégustez.

Croque banane-chocolat. ▶

GRATIN DE PÊCHES

3,80 €

FACILE
4 PERS
P : 10 MIN
C : 8 À 10 MIN

510 CAL/P

Ustensiles
1 passoire
4 ramequins
1 saladier
1 fouet

- 1 boîte de pêches au sirop
- 4 jaunes d'œufs
- 25 g de farine
- 25 cl de crème
- 100 g de sucre
- 1 noix de beurre

1. Égouttez les pêches et coupez-les en quartiers. Disposez-les au fond de quatre ramequins beurrés.
2. Fouettez les jaunes d'œufs dans un saladier avec le sucre. Puis ajoutez la farine. Mélangez bien et incorporez la crème.
3. Versez le tout sur les pêches et enfournez 8 min à 210° (thermostat 7).
4. Dégustez tiède ou frais.

FONDANT AUX POIRES
et son caramel au carambar

5,70 €

FACILE
6 PERS
P : 20 MIN
C : 45 MIN

960 CAL/P

Ustensiles
1 économe
1 moule creux
1 saladier
1 fouet
2 casseroles

- 6 poires
- 280 g de sucre
- 5 œufs
- 140 g de beurre
- 20 carambars
- 20 cl de crème
- 180 g de farine
- 3 cl d'huile
- Arôme vanille
- 35 cl de lait
- 1/2 sachet de levure chimique

1. Épluchez, videz et coupez les poires en petits cubes. Beurrez et sucrez un moule creux. Mettez les poires au fond du moule.
2. Dans un saladier, mélangez 150 g de sucre avec 3 œufs, ajoutez la farine et la levure. Terminez par le lait et l'huile.
3. Versez la préparation sur les poires et faites cuire 30 min à 180° (thermostat 6).
4. Pour le glaçage, faites fondre 120 g de beurre. Mélangez 120 g de sucre avec 2 œufs, incorporez le beurre fondu en mélangeant bien.
5. Versez le glaçage sur le gâteau et refaites cuire 10 min à 180° (thermostat 6).
6. Pour la sauce, faites fondre les carambars dans une casserole avec la crème. Faites bouillir. Fouettez bien.
7. Servez le fondant aux poires accompagné de son caramel au carambar.

Fondant aux poires et son caramel au carambar. ▶

CAKE ANANAS-COCO

5,50 €

FACILE
4 PERS
P : 10 MIN
C : 45 À 50 MIN

1 450 CAL/P

USTENSILES
1 moule à cake
1 bol
1 saladier
1 fouet

- 180 g de farine
- 3 œufs
- 150 g de sucre
- 150 g de beurre
- 1/2 sachet de levure chimique
- 125 g de noix de coco râpée
- 1 petit ananas
- 5 cl de rhum
- 1 pincée de sel

1. Pelez l'ananas et découpez-le en petits cubes. Faites fondre le beurre à feu doux ou au micro-ondes.
2. Dans un saladier, battez au fouet les œufs entiers avec le sucre et le sel, jusqu'à ce que le mélange blanchisse et devienne mousseux.
3. Ajoutez en pluie la farine et la levure, puis le beurre fondu et le rhum. Mélangez délicatement les cubes d'ananas et la noix de coco à la pâte.
4. Beurrez et farinez le moule à cake et versez-y la préparation. Faites cuire au four chaud à à 180° (thermostat 6) pendant 45 à 50 min (la lame d'un couteau plantée dans le cake doit en ressortir propre).

TARTE AUX FRAISES

10,30 €

FACILE
6-8 PERS
P : 20 MIN
C : 20 MIN

560 CAL/P

USTENSILES
1 moule à tarte (ø 28 cm)

- 1 rouleau de pâte brisée ou sablée
- 1 barquette de fraises
- 1 pot de chantilly
- 4 pincées de sucre
- 1 noix de beurre

1. Étalez la pâte dans un moule à tarte beurré. Recouvrez-la d'une feuille de papier cuisson. Mettez un poids par-dessus (haricots secs, ou des cuillères en métal). Enfournez-la 10 min à 200° (thermostat 7). Puis ôtez le poids et la feuille de papier et poursuivez la cuisson 8 min environ (elle doit être un peu colorée). Laissez-la refroidir.
2. Lavez les fraises et égouttez-les. Ôtez leur pédoncule et émincez-les.
3. Disposez les fraises sur la pâte. Parsemez de sucre et couvrez de chantilly.

Cake ananas-coco. ▶

TARTE AUX FRAISES, vinaigre balsamique et chantilly

12,70 €

FACILE
6 PERS
P : 15 MIN
C : 20 MIN

980 CAL/P

USTENSILES
1 moule à cake
1 passoire
1 râpe
1 casserole
1 saladier
1 fouet

- 1 rouleau de pâte brisée sucrée
- 250 g de fraises
- 30 g de sucre
- 10 cl de vinaigre balsamique
- 1 citron vert non traité
- 25 cl de crème liquide bien froide
- 2 c. à c. de sucre glace

1. Étalez la pâte et piquez-la régulièrement à l'aide d'une fourchette. Beurrez un moule à tarte et déposez-y la pâte. Recouvrez-la d'un papier sulfurisé, mettez un poids par-dessus (haricots secs) puis enfournez dans un four chaud à 200° (thermostat 7) pendant 8 min.
2. Retirez le poids et le papier sulfurisé, puis poursuivez la cuisson 3 min. Sortez le moule du four et laissez refroidir.
3. Lavez et équeutez les fraises. Coupez-les en petits cubes. Râpez le zeste du citron et pressez son jus. Mettez les fraises dans une casserole avec le zeste et le jus de citron, le sucre et le vinaigre balsamique. Portez le tout à ébullition puis laissez refroidir.
4. Pendant ce temps, montez la crème en chantilly en la fouettant vivement et ajoutez le sucre glace. Réservez au frais.
5. Étalez les fraises au vinaigre sur la tarte. Recouvrez la tarte de chantilly et dégustez.

TARTE FINE AUX POMMES

5 €

FACILE
6-8 PERS
P : 15 MIN
C : 15 MIN

870 CAL/P

USTENSILES
1 économe
1 moule à tarte (ø 28 cm)

- 1 rouleau de pâte feuilletée
- 7 pommes
- 4 pincées de sucre
- 1 pincée de cannelle
- 1 noix de beurre

1. Épluchez les pommes et coupez-les en deux. Ôtez le cœur et émincez-les.
2. Étalez la pâte dans un moule à tarte beurré en appuyant sur les bords. Piquez-la avec une fourchette sur tout le fond.
3. Puis étalez les pommes dessus. Saupoudrez de sucre et de cannelle.
4. Enfournez à 200° (thermostat 7) pendant 12 min environ.

Tarte fine aux pommes. ▶

TARTE NOIX DE COCO

8,20 €

FACILE
8 PERS
P : 20 MIN
C : 55 MIN

960 CAL/P

USTENSILES
1 moule à tarte (ø 28 cm)
1 casserole
1 saladier
1 fouet

- 1 rouleau de pâte brisée
- 3 œufs
- 130 g de sucre
- 30 cl de lait de coco
- 1 gousse de vanille fendue en deux
- 30 cl de crème liquide
- 130 g de poudre de noix de coco

1. Étalez la pâte et piquez-la régulièrement à l'aide d'une fourchette. Beurrez un moule à tarte et déposez-y la pâte. Recouvrez-la d'un papier sulfurisé, mettez un poids par-dessus (haricots secs) puis enfournez dans un four chaud à 200° (thermostat 7) pendant 8 min.
2. Retirez le poids et le papier sulfurisé, puis poursuivez la cuisson 3 min. Sortez le moule du four et laissez refroidir.
3. Faites bouillir le lait de coco avec la crème et la gousse de vanille. Couvrez et laissez tiédir.
4. Fouettez les œufs avec le sucre jusqu'à ce que le mélange blanchisse, puis incorporez la noix de coco. Ôtez la gousse de vanille et versez la crème par-dessus en mélangeant bien.
5. Versez la préparation sur le fond de tarte, puis enfournez dans un four chaud à 100° (thermostat 3) pendant 45 minutes environ.

SALADE PÉKINOISE

5,40 €

FACILE
4 PERS
P : 30 MIN
C : 45 MIN

150 CAL/P

USTENSILES
1 saladier

- 200 g de melon jaune
- 200 g de papaye
- 200 g de litchis au sirop
- 200 g de pastèque
- 5 cl de Malibu

1. Enlevez la peau de la pastèque, du melon jaune et de la papaye.
2. Ôtez les graines et coupez leur chair en cubes.
3. Mélangez les cubes de fruits avec les litchis au sirop et le Malibu, puis réservez au frais. Servez très frais.

Salade pékinoise. ▶

TARTE AU CHOCOLAT

et noix de pécan

5,60 €/P

FACILE
8 PERS
P : 20 MIN
C : 20 MIN
R : 2 H

780 CAL/P

USTENSILES
1 moule à tarte (ø 28 cm)
1 plat
1 casserole
1 saladier
1 fouet

- 1 rouleau de pâte brisée sucrée
- 100 g de chocolat noir en morceaux
- 100 cl de crème liquide
- 200 g de noix de pécan

1. Étalez la pâte et piquez-la régulièrement à l'aide d'une fourchette. Beurrez un moule à tarte et déposez-y la pâte. Recouvrez-la d'un papier sulfurisé, mettez un poids par-dessus (haricots secs) puis enfournez dans un four chaud à 200° (thermostat 7) pendant 8 min.
2. Retirez le poids et le papier sulfurisé, puis poursuivez la cuisson 3 min. Sortez le moule du four et laissez refroidir.
3. Faites griller les noix de pécan au four pendant 10 min à 180° (thermostat 6).
4. Faites bouillir la crème et versez-la sur le chocolat. Mélangez bien.
5. Étalez les noix de pécan sur la tarte. Versez la crème au chocolat par-dessus et laissez 2 h au réfrigérateur avant de servir.

POMMES RÔTIES

à la gelée de groseille

2,20 €/P

FACILE
4 PERS
P : 5 MIN
C : 10 MIN

160 CAL/P

USTENSILES
1 plat creux

- 4 pommes golden
- 4 c. à s. de gelée de groseille
- 20 g de sucre
- 20 g de beurre

1. Lavez les pommes. Coupez le beurre en petits morceaux et mettez-les au fond d'un plat creux.
2. Posez les pommes dans le plat. Saupoudrez de sucre et enfournez 6 min à 190° (thermostat 6).
3. Puis ajoutez la gelée de groseille sur les pommes et poursuivez la cuisson 4 min.
4. Dégustez tiède.

Pommes rôties à la gelée de groseille. ▶

INDEX

A

B

C

Crédits photographiques

Toutes les photos sont de Patrick André/Nature